MES GRANDS CONTES CLASSIQUES

MES GRANDS CONTES CLASSIQUES

Nathan

SOMMAIRE

SOURICETTE

Il était une fois une petite souris grise qui vivait dans un champ de blé noir, et qui avait bien envie de courir le monde. Elle se mit à trotter çà et là, fourrant son nez pointu sous tous les tas de pierres et sous toutes les touffes d'herbe, et regardant partout de ses petits yeux noirs et brillants. Tout à coup elle aperçut dans des feuilles sèches un petit objet rond, brun et lisse. C'était une grosse noisette, si polie et si brillante qu'elle eut envie de l'emporter à la maison, et elle avança sa petite patte pour la prendre, mais la noisette se mit à rouler. Souricette courut après, mais elle roulait très vite et arriva jusque sous un grand arbre, et là, se glissa sous une des grosses racines.

Souricette enfonça son museau sous la racine, et vit un trou rond, avec des escaliers, tout petits, tout petits, qui descendaient sous la terre. La noisette roulait le long des escaliers : tap, tap, tap. Souricette descendit aussi les escaliers. Tap, tap, tap, en bas roulait la noisette, et en bas, tout en bas, descendait Souricette.

La noisette roula jusqu'à une petite porte qui s'ouvrit immédiatement pour la laisser passer. La petite souris se dépêcha de pousser la porte, qui se referma derrière elle. Souricette se trouva dans une petite chambre, et devant elle se tenait un étrange petit bonhomme. Il avait un bonnet rouge, une veste rouge, et de longs souliers rouges pointus.

— Vous êtes ma prisonnière, dit-il à la petite souris.

— Et pourquoi cela ? fit-elle tout effrayée.

— Parce que vous avez voulu voler ma jolie noisette.

— Je ne l'ai pas volée, dit Souricette, je l'ai trouvée dans le pré. Elle est à moi.

— Non, c'est la mienne, dit le petit homme rouge, et vous ne l'aurez pas.

Souricette regarda partout, mais elle ne vit plus la noisette ; alors elle voulut rentrer chez elle, mais la petite porte était fermée, et le petit homme rouge avait la clé. Il dit à la pauvre petite souris :

— Vous serez ma servante ; vous ferez mon lit, et vous balaierez ma maison et ferez cuire ma soupe.

Et il ajouta en ricanant :

– Et peut-être que si vous travaillez bien, je vous donnerai la noisette en récompense !

Ainsi la petite souris fut la servante du petit homme rouge ; chaque jour elle faisait son lit, balayait la chambre et faisait cuire la soupe. Et chaque jour le petit homme rouge sortait par la petite porte et ne revenait que le soir, mais il avait toujours grand soin de fermer la porte et de prendre la clé. Et quand Souricette lui réclamait sa récompense, il répondait en ricanant :

– Plus tard ! Plus tard ! Vous n'avez pas encore assez travaillé.

Cela dura longtemps, longtemps.

Enfin, un jour que le petit homme rouge était très pressé, il ne tourna la clé qu'à moitié, et bien sûr cela ne servit à rien du tout.

La petite souris s'en aperçut tout de suite, mais elle ne voulait pas partir sans son salaire et elle chercha partout la noisette. Elle ouvrit tous les tiroirs, et regarda sur toutes les planches, mais elle ne la vit nulle part. À la fin, elle ouvrit une petite porte dans la cheminée, et la noisette était là ! dans une sorte de petit placard.

Souricette la prit et se sauva. Elle poussa la petite porte, vite, vite, grimpa les petits escaliers, vite, vite, passa à travers le trou sous la racine, et courut chez elle sans s'arrêter. Tout le monde fut bien content de la voir, car on la croyait morte.

Et comme elle laissait tomber la noisette sur la table, celle-ci s'ouvrit en deux avec un petit clic, comme une boîte ! Et qu'est-ce que vous pensez qu'il y avait dedans ?

Un tout petit collier, en pierres brillantes, et si joli ! Il était juste assez grand pour une petite souris.

Souricette le portait souvent, et quand elle ne le mettait pas, elle le gardait dans la grosse noisette.

Et le méchant petit homme rouge ne put jamais retrouver Souricette, car il ne savait pas où elle habitait.

Le Loup et
les Sept Chevreaux

Il était une fois une chèvre qui avait sept petits chevreaux qu'elle aimait très fort. Un jour, comme elle voulait aller chercher de quoi manger dans la forêt, elle les appela tous les sept et leur dit :

– Mes enfants, je m'en vais dans la forêt. Faites bien attention au loup. Si vous le laissez entrer, il vous mangera ! C'est un malin, qui sait se déguiser, mais vous le reconnaîtrez à sa grosse voix et à ses pattes noires.

Les chevreaux répondirent :

– Maman chérie, nous serons très prudents, c'est promis. Tu peux partir sans t'inquiéter.

Alors la chèvre, rassurée, se mit en route.

Peu de temps après, quelqu'un frappa à la porte et dit :

– Ouvrez, mes chers enfants, c'est votre maman qui rapporte quelque chose à chacun de vous.

Mais les petits chevreaux reconnurent le loup, à cause de sa grosse voix.

– Nous ne t'ouvrirons pas, dirent-ils. Tu n'es pas notre maman, qui a une voix toute douce. Tu as une grosse voix, tu es le loup !

Alors le loup alla acheter un gros bâton de craie chez l'épicier, et le mangea tout entier pour adoucir sa voix.

Puis il revint, frappa à la porte et dit :

– Ouvrez, mes chers enfants, c'est votre maman qui rapporte quelque chose à chacun de vous.

Mais le loup avait posé sa patte noire contre la fenêtre.

Les petits chevreaux la virent et s'écrièrent :

– Nous ne t'ouvrirons pas ! Notre maman n'a pas une patte noire. Tu es le loup !

Alors le loup courut chez le boulanger et lui dit :

– Je me suis cogné la patte, enveloppe-la-moi de pâte.

Quand le boulanger lui eut enduit la patte, il alla chez le meunier et lui dit :

– Saupoudre-moi la patte de farine blanche.

Le meunier se dit : « Ho ho ! Le loup veut jouer un mauvais tour à quelqu'un », et il refusa.

Mais le loup lui dit :

– Si tu ne le fais pas, je te dévore sur-le-champ.

Et le meunier, effrayé, fit ce que le loup lui demandait.

Le loup retourna pour la troisième fois à la porte de la maison, frappa et dit :

– Ouvrez, les enfants, votre petite maman chérie est revenue et rapporte quelque chose à chacun de vous.

Les chevreaux répondirent :

– Montre-nous ta patte, et nous saurons si tu es notre maman chérie.

Le loup posa sa patte blanche contre la fenêtre. Quand ils la virent, les chevreaux crurent ce que le loup avait dit, et ils ouvrirent la porte. Mais qui entra ? Le loup ! Les petits, terrifiés, voulurent se cacher. L'un bondit sous la table, le deuxième dans le lit, le troisième dans le poêle, le quatrième dans la cuisine, le cinquième dans l'armoire, le sixième sous la bassine, et le septième dans le boîtier de l'horloge. Mais le loup les découvrit tous, et les enfourna l'un après l'autre dans sa gueule. Tous, sauf le plus petit, qui s'était caché dans l'horloge. Quand le loup fut bien rassasié, il repartit et alla s'étendre sous un arbre, où il s'endormit.

Quelque temps plus tard, maman chèvre revint de la forêt. Hélas ! Quel spectacle elle trouva ! La porte de la maison était grande ouverte, la table, les chaises, les bancs renversés, la bassine en morceaux, les couver-tures et les oreillers arrachés du lit ! Elle chercha ses enfants, et ne les trouva nulle part. Elle les appela tous par leur nom, personne ne répondit. Enfin, elle appela le plus jeune, et une petite voix lui dit :

– Maman chérie, je suis ici, caché dans l'horloge.

Elle l'aida à sortir, et il lui raconta comment le loup était venu et avait dévoré tous ses frères. Vous pouvez ima-giner comme la chèvre pleura ! Finalement, accablée de chagrin, elle sortit de chez elle, avec son petit chevreau qui trottinait à côté d'elle.

Quand elle arriva dans le pré, le loup était couché sous l'arbre et ronflait si fort que les branches en tremblaient. Elle s'approcha et vit que quelque chose bougeait dans son ventre rebondi.

– Se pourrait-il que mes pauvres petits, qu'il a avalés pour son souper, soient encore en vie ? se dit-elle.

Le chevreau courut à la maison chercher des ciseaux, des aiguilles et du fil.

La chèvre coupa la panse du monstre et, au premier coup de ciseaux, un chevreau montra la tête, puis les six petits bondirent dehors l'un après l'autre. Ils étaient bien vivants et n'avaient même pas une égratignure, car le monstre les avait avalés tout rond. Et ils se mirent tous à sauter de joie.

Puis la chèvre dit :

– Maintenant, allez chercher de grosses pierres, et nous en remplirons la bedaine de ce méchant animal pendant qu'il dort.

Les sept chevreaux traînèrent les pierres les plus grosses qu'ils purent trouver et en bourrèrent l'intérieur du loup. Maman chèvre le recousit si vite que le loup ne s'aperçut de rien, et ne remua pas une seule fois.

Quand le loup se réveilla, comme les pierres qu'il avait dans le ventre lui donnaient très soif, il voulut aller au puits pour y boire. Mais, quand il se mit en marche, les pierres se mirent à cogner les unes contre les autres.

– Qu'est-ce donc qui cahote et s'entrechoque dans mon ventre ? s'écria-t-il. Je croyais que c'était des chevreaux, mais on dirait bien que ce sont de grosses pierres !

Arrivé au puits, il se pencha au-dessus de l'eau et voulut boire. Mais les lourdes pierres l'entraînèrent au fond, où il se noya.

Quand ils virent cela, les sept chevreaux accoururent et crièrent très fort :

– Le loup est mort ! Le loup est mort !

Et ils dansèrent en chantant avec leur mère tout autour du puits.

Jack et
le Haricot magique

Il était une fois une pauvre veuve qui avait un fils, Jack. Celui-ci n'aidait pas sa mère car il était paresseux. Il préférait rester allongé devant la cheminée toute la journée.

– Tu ne fais jamais rien, lui disait-elle toujours, et quand tu fais quelque chose, tu le fais mal !

Ils n'avaient pas d'argent, et leur seul bien était une vieille vache. Un jour, la mère de Jack lui dit :

– Jack, emmène la vache au marché, et vends-la au meilleur prix.

Le marché était loin et Jack n'avait pas envie d'y aller, mais il n'avait pas le choix. Il attacha la vache avec une corde et partit sans se presser.

En chemin, il rencontra un homme.

— Ta vache a l'air bien vieille, dit l'homme. Où l'emmènes-tu ?

— Au marché, pour la vendre, dit Jack.

— Tu n'en obtiendras pas grand-chose, dit l'homme. Combien en demandes-tu ?

— Combien en offrez-vous ? demanda Jack.

L'homme sortit quelque chose de sa poche.

— Cinq haricots, tu ne tireras guère plus de cette vieille carne au marché.

— Peut-être, dit Jack, mais ma mère va être furieuse si je reviens avec cinq haricots. Cinq sous seraient déjà mieux.

— Mais ce sont des haricots magiques, dit l'homme. Ils feront ta fortune !

— Affaire conclue ! dit Jack qui n'avait pas tellement envie d'aller jusqu'au marché avec la vache.

L'homme lui donna donc les cinq haricots. Jack lui laissa la vache et repartit chez lui.

– Déjà de retour ? s'étonna sa mère. Combien as-tu obtenu pour la vache ?

Jack sortit les haricots de sa poche et les montra à sa mère.

– Des haricots ! cria-t-elle. Cinq haricots ! Espèce de bon à rien !

Elle jeta les haricots par la fenêtre puis envoya Jack au lit. Il n'eut même pas le temps d'expliquer que les haricots étaient magiques.

Le matin suivant, quand Jack se réveilla, la maison était sombre, comme s'il faisait encore nuit. Quelque chose obstruait la fenêtre. Jack courut dehors et vit une immense tige de haricot qui avait poussé jusqu'aux nuages.

« Ils étaient bien magiques ! se dit Jack. Je me demande ce qu'il y a là-haut. » Et il commença de grimper le long de la tige.

Jack grimpa, grimpa jusqu'en haut. Là il vit un sentier qui menait à travers les nuages à un énorme château. Jack frappa à la porte. Une grosse femme ouvrit.

– Que viens-tu faire par ici ? demanda-t-elle. Ignores-tu que cette demeure est celle d'un géant qui mange les petits enfants ?

– Je suis monté si haut que je suis fatigué et assoiffé.

– Entre, dit la femme, mais il ne faut pas que tu restes longtemps.

Jack entra dans le château. Il bavardait avec la femme quand ils entendirent un bruit de pas sur le chemin.

– C'est mon mari, dit la femme. Vite, cache-toi !

Jack sauta dans une grande marmite et replaça le couvercle par-dessus lui. La porte s'ouvrit, et le géant entra. Il renifla l'air et dit :

– Hum, je sens la chair humaine… Vivant ou mort, je vais lui broyer les os pour en faire du pain !

– Allons, dit la femme, il n'y a personne ici. Maintenant, assieds-toi, et mange ton dîner.

Le géant s'assit et mangea son dîner. Puis il alla chercher une bourse usée et la renversa sur la table. Un gros tas d'or en tomba. Le géant referma la bourse, puis il la rouvrit : elle était à nouveau remplie d'or !

En voyant cela, Jack, qui regardait par-dessous le couvercle, pensa : « Si ma mère et moi avions cette bourse, nous ne serions plus pauvres. » Il décida de prendre cette bourse et de retourner chez lui, advienne que pourra.

Il attendit que le géant enlevât ses bottes et partît se coucher. Alors, Jack rampa hors de la marmite, saisit la bourse et se sauva à toutes jambes.

Il sortit en trombe du château, courut tout le long du chemin, descendit le long de la tige de haricot et arriva à la maison en criant :

– Maman, maman, regarde !

La mère de Jack fut très surprise de voir que son fils avait pu accomplir cet exploit.

Elle regarda la bourse, et dit :

– Maintenant, nous ne serons plus jamais pauvres.

Promets-moi que tu ne regrimperas plus à la tige de haricot. C'est trop dangereux !

Jack promit. Avec l'argent de la bourse, ils vécurent plus heureux qu'avant, mais Jack n'arrivait pas à oublier le château.

Un jour que sa mère était partie, il remonta le long de la tige de haricot. Quand Jack frappa à la porte du château, la femme du géant ouvrit et lui dit :

– Encore toi ! Si le géant te trouve ici, il te mangera tout cru !

– Je serai parti bien avant son retour, dit Jack. Mais j'aimerais bien m'asseoir un peu et avoir quelque chose à manger et à boire. La route était si longue !

La gentille femme le fit entrer. Comme Jack voulait attendre le géant, il bavarda sans répit avec elle. Bientôt, ils entendirent les pas du géant. Jack courut se cacher dans le placard sous l'évier.

– Hum, hum, je sens la chair humaine… Mort ou vivant, je vais prendre son sang pour agrémenter mon pain !

– Allons, dit la femme du géant. Il n'y a personne ici. Mange ton dîner, grand bêta.

Le géant s'assit et mangea son dîner. Quand il eut fini, il fit apporter une jolie petite poule rousse. Il lui caressa doucement les plumes, et la poule pondit des œufs ; pas des œufs ordinaires, mais des œufs tout en or.

Jack attendit que le géant fût endormi près du feu. Puis il rampa hors de son placard, saisit la poule et se sauva en vitesse. Il sortit en trombe du château, courut tout le long du chemin, descendit le long de la tige de haricot et arriva à la maison en criant :

– Maman, maman, regarde !

Quand la mère de Jack vit la poule et les œufs, elle put à peine en croire ses yeux. Elle lui fit promettre, bien promettre de ne jamais remonter le long de la tige de haricot. Jack promit.

Avec l'or de la bourse et les œufs d'or de la poule, ils étaient riches. Mais Jack ne pouvait oublier le château. Il grimpa de nouveau le long du haricot.

Quand la femme du géant ouvrit la porte et vit qui était là, elle s'écria :

– Va-t'en, je ne veux pas te laisser entrer.

Mais c'était une gentille femme, et Jack la persuada finalement de le laisser entrer. Ils commencèrent à parler, à parler, et, soudain, ils entendirent le mari qui revenait. Jack se dissimula dans la baignoire.

Le géant entra et renifla :

– Hum, hum, je sens la chair humaine…

– Assez de bêtises, dit la femme. Assieds-toi, et mange ton dîner.

Quand le géant eut mangé son dîner, il alla chercher une harpe en or.

– Joue pour moi, harpe ! dit-il.

Et la harpe se mit à jouer toute seule une musique merveilleuse.

Jack attendit que le géant s'endormît près du feu, puis il rampa hors de la baignoire, saisit la harpe et se sauva à toutes jambes. Mais pendant sa course, la harpe criait : « Maître ! Maître ! » Le géant s'éveilla, sauta sur ses pieds et courut à grandes enjambées après Jack.

Jack atteignit la tige de haricot et commença à descendre aussi vite qu'il le pouvait. Mais le géant arrivait et il commença à descendre derrière Jack.

Jack atteignit le sol le premier. Il laissa tomber la harpe et s'empara d'une hache dont sa mère se servait pour couper le bois. Il commença à cogner sur la tige de haricot. Il cogna, cogna, cogna et, finalement, le haricot tomba et avec lui le géant. Dans un grand « crac » le géant atterrit sur la tête et ce fut sa fin.

Jack et sa mère avaient donc la bourse d'or, la poule qui pondait des œufs en or et la harpe qui jouait toute seule. Ils vécurent ainsi heureux le reste de leurs jours.

BOUCLE D'OR
ET LES TROIS OURS

Il était une fois trois ours qui habitaient une maison dans la forêt. Il y avait un tout petit ours, un ours moyen, et un grand gros ours. Un matin, comme la bouillie du petit déjeuner était trop chaude, ils partirent se promener en attendant qu'elle refroidisse. Pendant ce temps, une petite fille appelée Boucle d'Or arriva par hasard devant leur maison. Comme elle était curieuse, elle regarda par la fenêtre, puis par le trou de la serrure.

Et, ne voyant personne, elle souleva le loquet. La porte n'était pas fermée. Car les ours étaient de bons ours ; ils ne faisaient de mal à personne, et ne pensaient pas qu'on puisse leur en faire.

Boucle d'Or ouvrit la porte et entra.

Sur la table, il y avait trois bols remplis de bouillie : un très grand bol, un bol moyen, et un tout petit bol.

Boucle d'Or fut très contente de trouver un petit déjeuner tout prêt.

Si elle avait été une gentille petite fille, elle aurait attendu le retour des trois ours. Ils l'auraient peut-être invitée à déjeuner, car c'était de bons ours, un peu bourrus, comme tous les ours, mais très aimables et accueillants.

Boucle d'Or goûta d'abord la bouillie du grand gros ours, mais elle la trouva trop chaude. Puis elle goûta la bouillie de l'ours moyen, mais elle la trouva trop froide.

Alors elle goûta la bouillie du tout petit ours. Elle n'était ni trop chaude ni trop froide, juste comme il fallait. Et Boucle d'Or la trouva si bonne qu'elle la mangea tout entière.

Dans le salon, il y avait trois chaises : une très grande chaise, une chaise moyenne et une toute petite chaise.

Boucle d'Or voulut s'asseoir sur la très grande chaise, mais elle était trop haute ! Puis elle s'assit sur la chaise moyenne, mais elle était trop dure !

Alors elle s'assit sur la toute petite chaise. Elle n'était ni trop haute ni trop dure ; elle était juste comme il fallait. Mais voilà que la chaise se cassa. Et Boucle d'Or se retrouva par terre, les quatre fers en l'air.

Comme Boucle d'Or avait sommeil, elle monta dans la chambre des trois ours, où elle vit trois lits : un très grand lit, un lit moyen, et un tout petit lit.

D'abord, elle se coucha sur le très grand lit. Mais il était trop dur. Puis elle se coucha sur le lit moyen, mais il était trop mou. Alors elle se coucha sur le tout petit lit. Il n'était ni trop dur, ni trop mou, juste comme il fallait. Elle se glissa sous la couette, et s'endormit.

Peu de temps après, les trois ours revinrent de leur promenade. Boucle d'Or avait laissé la cuillère dans le très grand bol.

– Quelqu'un a touché à ma bouillie ! dit le grand gros ours de sa grosse voix.

Puis l'ours moyen regarda son bol, et vit que sa cuillère aussi était dedans.

– Quelqu'un a touché à ma bouillie ! dit-il de sa voix moyenne.

Alors le tout petit ours regarda son bol ; la cuillère était dedans, mais la bouillie avait disparu.

– Quelqu'un a touché à ma bouillie, et a tout mangé ! dit-il de sa toute petite voix.

Les trois ours se mirent à regarder tout autour d'eux.

En voulant s'asseoir sur la très grande chaise, Boucle d'Or avait déplacé le coussin.

– Quelqu'un s'est assis sur ma chaise ! dit le grand gros ours de sa grosse voix.

Boucle d'Or avait aussi aplati le coussin de la chaise moyenne.

– Quelqu'un s'est assis sur ma chaise ! dit l'ours moyen de sa voix moyenne.

Et l'on sait ce qui était arrivé à la troisième chaise.

– Quelqu'un s'est assis sur ma chaise, et il l'a cassée ! dit le tout petit ours de sa toute petite voix.

Les trois ours montèrent alors dans leur chambre.

Boucle d'Or n'avait pas remis à sa place l'oreiller du très grand lit.

– Quelqu'un s'est couché sur mon lit ! dit le grand gros ours de sa grosse voix.

Et Boucle d'Or avait aplati l'oreiller du lit moyen.

– Quelqu'un s'est couché sur mon lit ! dit l'ours moyen de sa voix moyenne.

Quand le tout petit ours s'approcha de son lit, l'oreiller était bien à sa place, et sur l'oreiller était posée la tête de Boucle d'Or, qui n'était pas à sa place, car elle n'avait rien à faire là.

– Quelqu'un s'est couché dans mon lit, et y est encore ! dit le tout petit ours de sa toute petite voix.

Boucle d'Or avait entendu dans son sommeil la grosse voix du grand gros ours ; mais elle dormait si profondément que cela ne la dérangea pas plus que le mugissement du vent.

Elle avait entendu la voix moyenne de l'ours moyen, mais seulement comme une voix dans un rêve.

Mais quand elle entendit la toute petite voix du tout petit ours, elle fut réveillée en sursaut. Elle se redressa et, en voyant les trois ours qui la regardaient, elle bondit hors du lit, épouvantée. Elle sauta dehors par la fenêtre et se sauva à toutes jambes à travers bois.

Les trois ours ne la revirent jamais plus.

LE PETIT
CHAPERON ROUGE

Il était une fois une charmante petite fille que tout le monde aimait au premier regard.

Sa grand-mère qui l'adorait plus que tous lui avait donné un petit chaperon de velours rouge. Comme il était joli ! comme il lui allait bien ! La fillette ne voulut plus porter autre chose et on l'appela désormais le Petit Chaperon rouge.

Un jour, sa mère lui dit :

– Tiens, Petit Chaperon rouge, voici un morceau de galette et une cruche de vin. Porte-les à ta grand-mère, qui est malade. Elle va se régaler ! Pars tout de suite, avant qu'il ne fasse trop chaud. Sois bien sage en chemin et ne cours pas à droite et à gauche, ou tu vas tomber et casser la cruche. Et puis, n'oublie pas de dire bonjour en entrant, et ne regarde pas dans tous les coins !

– Je ferai bien attention à tout, promit le Petit Chaperon rouge, puis elle partit après avoir dit au revoir à sa maman. La grand-mère habitait à une bonne demi-heure du village, tout là-bas, dans la forêt. Et la fillette était à peine entrée dans la forêt qu'elle rencontrait le loup. Comme elle ne savait pas quel méchant animal c'était, elle n'eut pas peur du tout.

– Bonjour, Petit Chaperon rouge, dit le loup.

– Bonjour, loup.

– Où vas-tu de si bon matin ?

– Chez ma grand-mère, qui est malade. Je lui apporte du vin et de la galette.

– Et où habite-t-elle, ta grand-mère, Petit Chaperon rouge ? demanda le loup.

– Plus loin dans la forêt, à un quart d'heure d'ici ; sous les trois grands chênes se trouve sa maison.

Tout en faisant un petit bout de chemin avec le Petit Chaperon rouge, le loup pensait : « Un vrai régal, cette fillette. Tendre et dodue comme il faut ! Elle sera bien meilleure que la grand-mère. Ah, vraiment ! il faut que je trouve une ruse pour les dévorer toutes les deux. »

– Comment ? dit-il soudain en s'arrêtant. Tu ne regardes même pas toutes ces jolies fleurs dans le sous-bois ! On dirait aussi, Petit Chaperon rouge, que tu n'entends pas les oiseaux ! Mais profite donc de la forêt : tout est tellement gai ici !

Le Petit Chaperon rouge leva les yeux et vit danser les rayons du soleil entre les arbres, et puis partout, partout, des fleurs qui brillaient. « Si j'en faisais un bouquet pour grand-mère, se dit-elle, cela lui ferait plaisir. Il est tôt, j'ai bien le temps d'en cueillir. » Et elle quitta le chemin pour chercher des fleurs dans le sous-bois : une par-ci, l'autre par-là, la plus belle était toujours un peu plus loin, et encore plus loin à l'intérieur de la forêt.

Le loup, pendant ce temps, courait tout droit à la maison de la grand-mère.

Il y arriva très vite et frappa à la porte :

– Qui est là ? cria la grand-mère de son lit, car elle était trop faible pour se lever.

– C'est le Petit Chaperon rouge, dit le loup. Je t'apporte de la galette et du vin, ouvre-moi !

– Tire la chevillette et la bobinette cherra !

Aussitôt le loup tira la chevillette, poussa la porte, courut au lit de la grand-mère et la mangea. Puis il mit sa chemise de nuit, s'enfouit la tête sous son bonnet de dentelle, se coucha dans son lit et tira les rideaux.

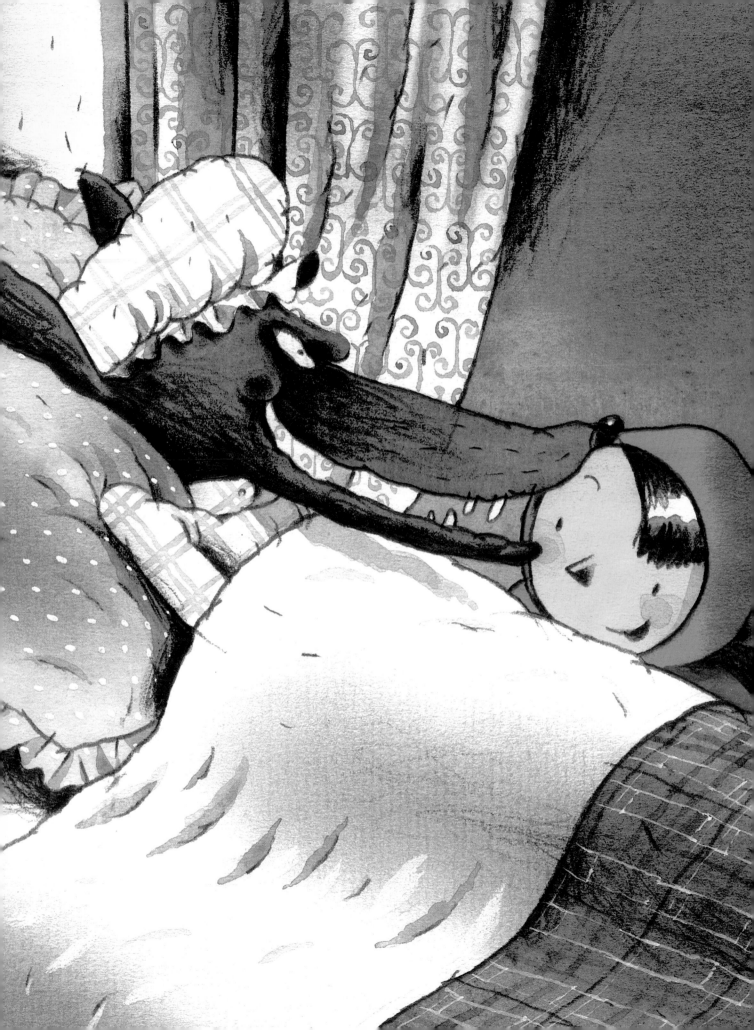

Le Petit Chaperon rouge avait couru de fleur en fleur, et son bouquet était maintenant si gros qu'elle pouvait à peine le porter. Alors elle pensa à sa grand-mère et se remit bien vite en chemin pour aller chez elle.

La porte était ouverte. Quand elle fut dans la chambre, elle eut une drôle d'impression. Tout lui semblait bizarre ! Elle dit bonjour, mais comme personne ne répondait, elle s'avança jusqu'au lit et écarta les rideaux. La grand-mère était là, couchée avec son bonnet qui lui cachait presque toute la figure. Elle avait un air étrange...

– Oh ! grand-mère, comme tu as de grandes oreilles !

– C'est pour mieux t'entendre, mon enfant.

– Oh ! grand-mère, comme tu as de grands yeux !

– C'est pour mieux te voir, mon enfant.

– Oh ! grand-mère, comme tu as de grandes mains !

– C'est pour mieux te prendre, mon enfant.

– Oh ! grand-mère, comme tu as de grandes dents !

– C'est pour mieux te manger ! dit le loup qui bondit hors du lit et avala le pauvre Petit Chaperon rouge.

Repu, le loup retourna se coucher et s'endormit. Il se mit à ronfler si fort qu'un chasseur qui passait devant la maison l'entendit. « Comment se fait-il que la vieille femme ronfle si fort ? se dit-il. Allons voir si elle n'a besoin de rien. » Il entra et vit le loup couché dans le lit.

– C'est ici que je te trouve, vieille canaille ! dit le chasseur en épaulant son fusil. Voilà un moment que je te cherche...

Et il allait tirer quand, tout à coup, l'idée lui vint que le loup avait pu manger la grand-mère et qu'il était peut-être encore temps de la sauver. Il reposa son fusil, prit des ciseaux et se mit à ouvrir le ventre du loup endormi. Au deuxième ou troisième coup de ciseaux, il vit le chaperon de velours rouge qui luisait ; encore deux ou trois coups de ciseaux, et la fillette sautait dehors en s'écriant :

– Oh, là, là, comme j'ai eu peur ! Il faisait si noir dans le ventre du loup !

Peu de temps après, la vieille grand-mère sortait à son tour : c'est à peine si elle pouvait respirer !

Le Petit Chaperon rouge courut chercher de grosses pierres et en remplit le ventre du loup. À son réveil, il voulut s'enfuir, mais les pierres pesaient si lourd qu'il s'affala et tomba mort sur le coup.

Tout le monde était content : le chasseur prit la peau du loup et la grand-mère se remit de ses émotions en mangeant la galette et en buvant le vin. Quant au Petit Chaperon rouge, elle avait eu tellement peur qu'elle se jura d'être plus raisonnable : c'était sûr, à l'avenir, plus jamais elle ne quitterait le chemin pour aller courir dans les bois !

Est-ce qu'elle tint sa promesse ? L'histoire ne le dit pas !

LE VILAIN
PETIT CANARD

Les champs de blé ondoyaient sous le vent d'été. La campagne resplendissait sous le soleil. L'avoine verdissait et les foins s'amoncelaient déjà en meules. Plus loin, au-delà des champs et des prés, la forêt s'étendait. Une vieille ferme dominait le paysage. Elle était entourée de larges fossés bordés d'arbres. L'eau clapotait doucement le long des berges, au ras des feuilles. Bien à l'abri sous ces arbres, une cane avait fait son nid et couvait ses œufs.

Il lui tardait de voir naître ses canetons car elle s'ennuyait un peu. « Ah ! soupirait-elle, vivement que je puisse de nouveau barboter au soleil... »

Enfin les œufs s'ouvrirent un jour en faisant « cric-cric ». Les petits canards tendaient leur cou et

clignaient les yeux à la lumière. Ils claquaient leur bec,
« coin-coin », et faisaient déjà beaucoup de bruit.
Leurs yeux ronds regardaient autour d'eux.

– Allons, dit la mère. Êtes-vous tous là ?

Non, ils n'étaient pas tous là : il restait un œuf. La
cane, contrariée, se remit à couver. Une vieille
commère vint aimablement lui rendre visite :

– Comment ? Vous couvez encore ?

– Mais oui ! répondit la maman cane. Il reste encore
un œuf à éclore.

– Montrez-le-moi, conseilla la vieille. Oh ! oh !
Laissez-moi vous assurer que c'est un œuf de dinde.
J'en ai moi-même couvé un, autrefois. Un petit sorti
d'une telle coquille n'apprendra jamais à nager.

La mère cane continua de couver pendant deux jours.

Le deuxième jour, elle entendit « cric-cric » et le nouveau venu émergea de son œuf. Comme il était grand et vilain, la mère pensa qu'il s'agissait d'un dindon. Le lendemain, il faisait un temps magnifique. La mère emmena donc toute la famille se baigner au soleil. Elle sauta dans l'eau la première : « Plouf ! » Chacun des petits se jeta à son tour dans le fossé. Ils disparurent sous l'eau puis revinrent à la surface. Ils s'amusaient bien à nager, même le vilain caneton gris.

– Bon, dit la mère cane, ce n'est donc pas un dindon. Il nage bien, il se tient droit. D'ailleurs, à bien le regarder, il n'est pas si laid ! Et c'est mon enfant… Venez avec moi, les petits : je vais vous présenter aux autres canards. Ne vous éloignez pas de moi et faites attention au chat.

C'est ainsi qu'ils entrèrent à la file dans la cour des canards. Quel bruit ! On bavardait ferme et on se disputait pour un rien.

– Regardez ! dit la mère cane. Dans ce monde, rien n'est facile. Tenez-vous bien et saluez le vieux canard là-bas. Vous devez le respecter car c'est un canard distingué. Le ruban rouge autour de sa patte signifie qu'il est le plus gros et le plus beau d'entre nous. Veillez bien à ne pas marcher les pieds en dedans : un caneton bien élevé écarte toujours les pieds en dehors. Allons ! Inclinez-vous devant le vieux canard et dites « coin-coin ».

Ils obéirent à leur mère. Mais pendant ce temps, les autres canards les regardaient et faisaient des commentaires :

– Encore des nouveaux ? Et d'où sort-il celui-ci, avec son grand cou et son vilain duvet ?

– Vous avez de beaux enfants, dit le vieux canard à la mère cane. Sauf celui-ci.

– Je sais, répondit-elle. Il n'est certes pas beau mais il est si gentil ! Et il nage à merveille ! Je pense qu'avec le temps il se formera. Il est resté trop longtemps dans l'œuf, voilà tout !

Puis elle se tourna vers ses petits :

– Maintenant, mes enfants, vous êtes ici chez vous.

Mais, dès le premier jour, tout alla de travers pour le

pauvre vilain caneton. Il fut poussé, mordu, bousculé par les canards. Les poulets se mirent bientôt de la partie. Un énorme coq tenta même de le tuer.

Avec le temps, la situation empira. Le vilain caneton avait sans cesse plus de chagrin. Il était chassé de partout. Ses frères et ses sœurs se moquaient aussi de lui :

– Vivement que le chat t'emporte !

La mère cane l'aimait toujours mais elle aurait préféré qu'il ne soit pas là.

Alors un jour le caneton prit son vol pour se sauver. C'est ainsi qu'il arriva au marécage des canards sauvages. Bien fatigué et triste, il s'y coucha pour la nuit.

Au matin il se réveilla entouré de canards :

– Qui donc est ce vilain canet ? disaient-ils.

Le caneton intimidé les salua tous.

– Que tu es laid ! répétaient les canards sauvages. Cependant tu peux rester parmi nous, pourvu que tu ne te maries pas avec une cane de notre famille.

Le vilain petit canard n'en désirait pas tant. Il se contenta de passer deux jours dans le marécage.

Le troisième jour, deux jars sauvages arrivèrent. À peine eurent-ils posé le pied au sol qu'ils commencèrent à se moquer du vilain canard. Mais leur méchant jeu ne dura pas ; des coups de feu claquèrent : « Pan-pan ! »

Et les deux jeunes jars tombèrent morts dans l'eau rougie de sang.

Les coups de fusil continuèrent. Les oies et les canards s'envolaient à tire-d'aile au-dessus des chasseurs cachés dans les roseaux. Les chiens bondirent à leur tour dans l'eau. Ils sautaient et aboyaient.

Le vacarme était assourdissant. Un énorme chien aux yeux méchants s'approcha du vilain caneton, lui montra les dents et s'éloigna brusquement : ce caneton était vraiment trop laid.

Le soir venu, les chasseurs s'éloignèrent enfin. Alors le vilain petit canard reprit son vol. Un vent terrible soufflait en tempête. Le caneton fatigué se posa à côté d'une cabane. La lumière et la porte entrouverte l'incitèrent à entrer. Une vieille habitait là, en compagnie de son chat et d'une poule.

Le vieux matou savait, entre autres choses, arrondir le dos et lancer des étincelles quand on le caressait à rebrousse-poil. La poule, elle, se contentait de pondre des œufs de qualité.

Au matin du lendemain, le matou et la poule découvrirent le caneton dans la maison. La vieille, qui avait la vue basse, vint le voir à son tour.

– Dieu merci, dit-elle, voilà une belle grosse cane ! Nous aurons des œufs…

Elle eut beau attendre, jamais bien sûr le caneton ne pondit. La poule et le matou ne cessaient de se moquer de lui. Ils lui reprochaient de ne savoir rien faire : ni arrondir le dos, ni faire d'étincelles, ni pondre. Et le caneton passait ainsi de tristes journées.

Or un beau matin que le soleil brillait malgré le froid vif, le caneton ressentit une furieuse envie de nager. Il alla le dire à la poule.

– Comment donc, s'écria-t-elle. Nager ? Tu ferais mieux de pondre ou de ronronner.

– Pourtant, dit le petit canard, j'ai tellement de plaisir à aller sur l'eau !

– Des idées aussi farfelues ne te mèneront à rien, répliqua la poule. Que veux-tu de plus que tu n'as pas trouvé dans cette maison ? Ici tu as de quoi manger, de quoi dormir, la chaleur d'une famille… Et tu ne penses qu'à nager !

Le petit canard prit ce jour-là la décision de partir.

L'automne arriva. Les feuilles mortes, rouges et dorées, tombaient des arbres. Le vent se faisait plus froid et les nuages plus sombres. Après les bourrasques de pluie, les premières neiges menacèrent. Les corbeaux arpentaient les champs labourés et se perchaient sur les piquets. Le petit canard allait tout seul vers l'hiver.

Un de ces soirs d'automne où le soleil flamboie, le caneton vit passer de grands oiseaux blancs au long cou. Magnifiques, ils battaient l'air froid de leurs ailes pour rejoindre les pays chauds. Le petit canard, heureux de ce spectacle, leva la tête vers le ciel et poussa un long cri, si fort qu'il se fit peur à lui-même.

Il sut qu'il aimait ces oiseaux… sans deviner qu'il aimait les cygnes.

Puis l'hiver succéda à l'automne. Il gelait maintenant si fort que le caneton devait nager sans cesse pour ne pas rester prisonnier de la glace. Mais il se sentait de plus en plus fatigué. La glace recouvrit bientôt toute l'eau. Et, un jour, le petit canard ne bougea plus, épuisé et prisonnier.

Heureusement, un paysan passait par là le lendemain.

Il sortit le canard de la glace et l'emmena chez lui.

La femme et les enfants l'accueillirent avec joie et le réchauffèrent. Posé dans un panier près de la cheminée, le caneton sentait la chaleur revenir peu à peu sous ses plumes.

Il remua d'abord une aile, puis l'autre. Il souleva une patte, puis l'autre. Enfin il cligna les yeux, claqua du bec et hop ! sauta du panier.

Les enfants voulurent aussitôt jouer avec lui. Le caneton prit peur et se jeta à l'aveuglette sur la table où il tomba dans le pot de lait. « Badaboum ! » Le lait éclaboussa tout le monde. Alors la fermière en colère tapa dans ses mains en criant :

– Nom d'un petit bonhomme !

Le petit canard, encore plus apeuré, trébucha sur le pain et roula dans la farine… Quel chahut ! Enfin le petit canard vit la porte ouverte et se précipita dans la cour.

Tandis que la fermière et les enfants le cherchaient, il s'éloigna de la ferme en cachette.

L'hiver passa, fait de misère et de froid. Un beau jour le petit canard vit le marécage briller d'une autre lumière : c'était le printemps ! Le soleil montait de plus en plus haut. Les arbres fleurirent et verdirent. Les alouettes volaient vers le ciel en chantant « tirelireli ». Le petit canard prit alors son envol. Ses ailes avaient grandi et le portaient loin.

Il se sentait vigoureux et il vola jusqu'à un beau jardin rempli de fleurs. Ce fut là qu'il revit les beaux oiseaux blancs de l'automne. Ils étaient trois et marchaient paisiblement au bord de l'eau.

– Je vais aller les trouver, dit le canard. Je préfère être tué par eux que mordu par les canards et poursuivi par les poules.

Il s'élança dans l'eau et nagea à leur rencontre. Quand les cygnes le virent, ils se précipitèrent vers lui, leurs plumes gonflées. Le petit canard s'arrêta, baissa les yeux et attendit courageusement la mort.

Mais au lieu d'être tué, il vit enfin son reflet dans l'eau : un cygne… Voilà ce qu'il était : un beau cygne blanc ! et non plus un épouvantable caneton gris et pataud.

Tout son chagrin fut balayé. Il se sentait magnifique et rempli de bonheur. Ses nouveaux compagnons nageaient autour de lui et le caressaient de leur bec.

Des enfants vinrent se promener au jardin.

Ils dirent tous :

– Le nouveau cygne est le plus beau !

Les vieux cygnes s'inclinèrent alors devant lui. Mais jamais il ne devint fier car il n'oublia pas ses malheurs passés. Il se souvenait souvent d'avoir été autrefois un vilain petit canard.

LA PETITE
POULE ROUSSE

Il était une fois une petite poule rousse, qui habitait toute seule dans sa petite maison. Non loin de là, sur la colline, au milieu des rochers, vivait un vieux renard habile et rusé.

Au fond de son terrier, maître Renard rêvait, le jour et la nuit, au moyen d'attraper la petite poule rousse.

– Comme elle doit être tendre ! pensait-il. Si seulement je pouvais la mettre à bouillir dans ma grande marmite ! Quel fameux souper pour ma vieille mère et pour moi !

Mais on ne pouvait pas venir à bout de la petite poule rousse, parce qu'elle était trop maligne et trop prudente. Chaque fois qu'elle sortait, elle fermait sa porte et emportait la clé. Et quand elle rentrait, elle s'enfermait soigneusement, et mettait la clé dans la poche de son tablier, avec ses ciseaux, son fil et son aiguille.

À la fin, le renard pensa qu'il avait trouvé le moyen de l'attraper. Il partit de grand matin, en disant à sa vieille mère :

– Mets la grande marmite sur le feu ; nous mangerons la petite poule rousse pour notre souper.

Il prit un grand sac et courut jusqu'à la maison de la petite poule. Elle venait de sortir et ramassait des brindilles pour allumer son feu. Le renard se glissa derrière une pile de bois et, pendant qu'elle était baissée, il fila dans la maison et se cacha derrière la porte.

Une minute après, la petite poule rousse rentra en disant :

– Je vais fermer la porte, et je serai tranquille...

Et comme elle se retournait, elle vit le renard, avec son grand sac sur l'épaule. Hou ! comme la petite poule fut effrayée ! Mais elle ne perdit pas la tête ; elle laissa tomber ses brindilles et vola tout en haut de l'armoire, d'où elle cria au vilain vieux renard :

– Tu ne me tiens pas encore !

– Nous allons voir ça, dit maître Renard.

Et que croyez-vous qu'il fit ?

Il se planta juste au-dessous de la petite poule rousse et il se mit à tourner, à tourner, à tourner en rond après sa queue, de plus en plus vite ; si bien que la pauvre petite poule en fut tellement étourdie qu'elle en perdit l'équilibre et tomba juste dans le grand sac, que le renard avait posé tout ouvert à côté de lui ! Il jeta le sac sur son épaule et partit pour sa caverne, où la marmite bouillait sur le feu.

Il lui fallait monter toute la colline, et le chemin était long. Il s'arrêta un moment pour se reposer, et s'endormit. Au début, la petite poule rousse ne savait plus où elle était, tellement la tête lui tournait ; mais, au bout d'un moment, elle reprit ses sens.

Elle tira d'abord ses ciseaux de sa poche, et clip ! fit un petit trou dans le sac et passa la tête au-dehors.

Puis, clip, clip, elle fendit le sac, se glissa dehors, fourra une grosse pierre dans le sac et vite, vite, le recousit avec le fil et l'aiguille qu'elle avait dans sa poche.

Après quoi, elle fila aussi vite qu'elle put jusqu'à sa maison, où elle s'enferma bien soigneusement.

Pendant ce temps-là, le vieux renard se réveilla et il reprit sa route, bien content, avec la pierre dans le sac, en se disant :

– Comme cette petite poule rousse est lourde ! Je ne la croyais pas si grasse. Elle va me faire un fameux souper !

Il arriva enfin à la caverne. Dès que sa vieille mère le vit, elle lui cria :

– As-tu la petite poule rousse ?

– Oui, oui, dit-il. Est-ce que l'eau est chaude ?

– Elle bout à gros bouillons, dit sa vieille mère.

– Alors, attention. Soulève le couvercle de la marmite, je secouerai le sac, et je ferai tomber la petite poule rousse dedans. Et toi, tu veilleras à ce qu'elle ne s'envole pas.

La vieille mère renard ôta le couvercle de la marmite. Le renard ouvrit un peu le sac sans regarder dedans, le prit par le fond et le secoua au-dessus de la marmite. Plouf ! plouf ! La grosse pierre tomba dans la marmite, qui se renversa et brûla le renard et sa vieille mère. Ils se sauvèrent en hurlant et on ne les revit jamais.

Et la petite poule rousse resta dans sa petite maison, où elle vécut heureuse tous les jours de sa vie.

LES TROIS
PETITS COCHONS

Il était une fois trois petits cochons qui s'en allèrent chercher fortune de par le monde.

Le premier rencontra un homme qui portait une botte de paille, et il lui dit :

– S'il vous plaît, vendez-moi cette paille pour me bâtir une maison.

L'homme lui vendit la paille, et le petit cochon se bâtit une maison.

Le deuxième petit cochon rencontra un homme qui portait un fagot de bois, et il lui dit :

– S'il vous plaît, vendez-moi ces bouts de bois pour me bâtir une maison.

L'homme lui vendit les bouts de bois et le petit cochon
bâtit sa maison.

Le troisième petit cochon rencontra un homme
portant des briques, et il lui dit :
– S'il vous plaît, vendez-moi ces briques pour me bâtir
une maison.
L'homme lui vendit les briques et le petit cochon bâtit
avec une maison bien solide.

De nouveau le loup arriva, et dit :

– Petit cochonnet, petit cochonnet, laisse-moi entrer !

Mais le cochonnet répondit :

– Non, non, par la barbiche de mon petit menton, tu n'entreras pas !

Alors le loup répliqua :

– Eh bien, je soufflerai, et je gronderai, et ta maison s'effondrera !

De sorte qu'il souffla, et il gronda, et il souffla, et souffla encore, et il gronda, et gronda encore, mais la maison de brique ne bougea pas.

Alors le loup, très en colère, décida de descendre par la cheminée pour manger les trois petits cochons.

Mais ceux-ci se dépêchèrent de mettre une grande marmite d'eau sur le feu, et juste comme le loup descendait, ils soulevèrent le couvercle et le loup tomba dans l'eau bouillante.

Les petits cochons remirent bien vite le couvercle, et quand le loup fut cuit, ils le mangèrent pour leur souper.

LE PETIT POUCET

Il était une fois un bûcheron et sa femme qui avaient sept enfants, tous des garçons ! Ils étaient si pauvres qu'ils avaient beaucoup de mal à les nourrir, d'autant plus qu'aucun des enfants n'était en âge de travailler. Et puis le dernier surtout leur donnait du souci, ils le croyaient fragile et un peu bête, car il était tout petit et ne parlait jamais. À sa naissance, il n'était pas plus gros qu'un pouce et c'est pour cela qu'on l'avait appelé le Petit Poucet. Pour tout vous dire, on lui donnait toujours tort à la maison ! Pourtant, il était très malin, très gentil, et s'il parlait peu, il écoutait beaucoup !

Un soir, alors que les sept frères étaient couchés, le bûcheron discuta avec sa femme, assis au coin du feu.

– C'est la misère, lui dit-il. Il n'y a plus rien à manger depuis des mois ! Je ne veux pas voir les enfants mourir de faim devant mes yeux. J'ai beaucoup réfléchi : il n'y a qu'une solution, il faut les perdre dans la forêt !

– C'est impossible ! s'écria la femme. Je ne veux pas, je suis leur mère !

Et elle continua de protester, de s'indigner. Mais à la fin, elle se laissa convaincre par son mari, et alla se coucher en pleurant.

Or le Petit Poucet avait tout entendu ! Se rendant compte depuis son lit que ses parents parlaient de choses graves, il s'était levé sans bruit et s'était glissé sous le fauteuil de son père.

Il alla se recoucher, mais ne se rendormit pas. Pendant toute la nuit, il réfléchit. Que pouvait-il faire ?

Le lendemain, de bon matin, il alla au bord du ruisseau et ramassa des cailloux blancs qu'il fourra dans ses poches. Puis il rentra à la maison, sans dire à ses frères ce qu'il savait. On partit. La famille au grand complet pénétra dans une forêt épaisse et sombre. Le bûcheron se mit à couper du bois, et ses enfants à ramasser des brindilles pour faire des fagots.

Le père et la mère, en voyant les sept frères occupés à travailler, s'éloignèrent petit à petit, puis s'enfuirent à toute vitesse.

Lorsque les enfants se virent seuls, ils se mirent à crier et à pleurer de toutes leurs forces.

Le Petit Poucet, lui, ne s'inquiétait pas, car il savait comment revenir chez eux. Ils n'avaient qu'à suivre les cailloux blancs qu'il avait semés sur le chemin !

– Vous n'avez rien à craindre, dit-il enfin à ses frères. Suivez-moi. Je vais vous ramener !

Et c'est ce qu'il fit. Mais arrivés devant chez eux, les enfants n'osèrent pas entrer. L'oreille collée contre la porte, ils écoutèrent ce qui se disait dans la maison.

– Où sont mes pauvres enfants ? se lamentait la mère. Maintenant que le seigneur du village nous a envoyé l'argent qu'il nous devait, nous voilà avec de quoi manger, mais pas d'enfants à nourrir ! Ah ! que font-ils maintenant dans cette forêt ? Le loup les a peut-être déjà mangés ! Où sont mes enfants, où sont maintenant mes pauvres enfants ?

– Nous voilà ! nous voilà ! crièrent alors le Petit Poucet et ses frères.

La mère courut ouvrir la porte et les embrassa tous, les uns après les autres.

– Oh, mes enfants, comme je suis heureuse de vous revoir ! leur dit-elle. Allez, venez, venez manger !

Ils se mirent aussitôt à table et dévorèrent. Leur appétit faisait plaisir à voir, le père et la mère étaient heureux ! Mais la joie dura tant que l'argent dura. Bientôt la misère revint, et les parents décidèrent à nouveau de perdre leurs enfants. Ils en parlèrent tout doucement, en chuchotant. Mais cela n'empêcha pas le Petit Poucet de les entendre. Le lendemain, de bon matin, il se leva pour aller ramasser ses petits cailloux : la porte était fermée, à double tour. Impossible de sortir ! Qu'allait-il faire ?

Il était en train de réfléchir, quand sa mère lui donna, comme à ses autres frères, un morceau de pain qu'il fourra dans sa poche. Il eut une idée ! « Au lieu des petits cailloux, se dit-il, je vais jeter sur le chemin des miettes de pain. »

On partit. Le père et la mère entraînèrent les enfants dans l'endroit le plus épais et le plus obscur de la forêt, puis ils disparurent. Le Petit Poucet ne s'en inquiéta pas : il pensait pouvoir retrouver son chemin, comme la première fois. Mais il se trompait. Les miettes avaient disparu ; les oiseaux étaient venus, qui avaient tout mangé. Que faire ?

Les enfants se mirent en route. Mais plus ils marchaient, plus ils se perdaient et s'enfonçaient dans la forêt.

La nuit vint. Un grand vent se mit à souffler, ils crurent entendre les loups hurler. Une grosse pluie se mit à tomber, elle les trempa jusqu'aux os et les fit tomber dans la boue.

Alors le Petit Poucet grimpa en haut d'un arbre pour observer les alentours. Soudain, il vit une petite lueur, qui ressemblait à une chandelle. Vite, il descendit de l'arbre, et, lorsqu'il arriva à terre, il n'y avait plus rien ! Le Petit Poucet était triste, très triste. Cependant, on se remit en route, et tout à coup, en sortant du bois, le Petit Poucet revit la lumière.

Puis les sept frères la perdirent à nouveau de vue, la retrouvèrent, et enfin arrivèrent à la maison où brûlait cette chandelle.

Ils frappèrent à la porte. Une femme vint leur ouvrir.

– Bonjour, madame ! dit le Petit Poucet. Nous sommes perdus dans la forêt, et nous ne savons pas où dormir. Pouvez-vous nous prendre chez vous ?

– Oh ! mes pauvres enfants ! Vous ne savez pas où vous êtes ! C'est ici la maison d'un ogre qui mange les petits enfants !

– Mais si nous restons dans la forêt, les loups nous mangeront ! répondit le Petit Poucet. Alors mangés pour mangés, nous préférons que ce le soit par votre mari ! Et peut-être que si nous le lui demandons, il ne nous mangera pas !

– D'accord, entrez ! accepta la femme. Mais je préfère vous cacher jusqu'à demain matin.

Elle les emmena tout près du feu où un mouton entier était en train de rôtir : c'était le souper de l'ogre.

À peine les enfants commençaient-ils à se réchauffer qu'on frappa de grands coups à la porte. L'ogre était de retour ! Vite ! la femme cacha les sept frères sous le lit et alla ouvrir.

Aussitôt l'ogre se mit à table.

– Ça sent la chair fraîche ! dit-il en flairant à droite et à gauche.

– C'est le veau que j'ai préparé pour demain ! assura sa femme.

– Je te dis que ça sent la chair fraîche ! reprit l'ogre.

Il alla droit vers le lit et hurla :

– Ah ! tu voulais me tromper, maudite femme.

Puis tirant les sept frères un à un, il ajouta :

– Voilà de quoi nourrir trois ogres de mes amis qui doivent venir me voir.

L'ogre avait déjà aiguisé son grand couteau et pris un des enfants, quand sa femme s'approcha et lui dit :

– Que veux-tu faire à l'heure qu'il est ! N'auras-tu pas assez de temps demain ? Et puis tu as encore tellement de viande ! Regarde : voilà un veau, deux moutons et la moitié d'un cochon.

– Oui, c'est vrai, tu as raison ! dit l'ogre. Allez, emmène-les se coucher !

La femme ne se le fit pas dire deux fois, et elle conduisit les sept frères dans une chambre où il y avait deux grands lits : le premier était occupé par les sept filles de l'ogre, le deuxième leur était destiné.

En entrant, le Petit Poucet avait remarqué que les filles de l'ogre portaient toutes une couronne d'or sur la tête. Cela lui donna une idée. « L'ogre peut toujours changer d'avis et décider de nous manger, se dit-il. Méfions-nous ! » Alors il se leva et prit les bonnets de ses frères qu'il alla tout doucement mettre sur la tête des filles de l'ogre, après leur avoir retiré leurs couronnes d'or.

Il avait eu raison, car à minuit, l'ogre se réveilla, regrettant d'avoir reporté au lendemain ce qu'il pouvait faire le jour-même. Il monta à tâtons dans la chambre de ses filles et s'approcha du lit où étaient les sept frères. Ils dormaient tous, sauf le Petit Poucet, qui eut bien peur quand l'ogre lui tâta la tête, comme il l'avait fait à ses autres frères.

« Vraiment, se dit l'ogre en ayant senti les couronnes, j'ai dû trop boire : j'allais me tromper ! » Il alla alors au lit de ses filles et sentit les bonnets. « Ah ! les voilà ! » se dit-il, tout content. Et d'un coup, d'un seul, il coupa la gorge de ses sept filles, puis il retourna se coucher.

Dès que le Petit Poucet entendit l'ogre ronfler, il réveilla ses frères :

– Pas un mot ! leur dit-il, et suivez-moi sans bruit.

Alors, sans un mot, sans un bruit, ils descendirent dans le jardin, sautèrent le mur, et s'enfuirent dans la nuit.

Le lendemain matin, lorsque l'ogre découvrit ses sept filles mortes dans leur lit, il hurla :

– Oh ! qu'ai-je fait là, mais qu'ai-je fait ? puis il ajouta : Ils me le payeront ces méchants drôles, et pas plus tard que maintenant. Femme, donne-moi mes bottes de sept lieues, je vais les rattraper.

Ainsi chaussé de ces bottes, l'ogre partit. Après avoir couru dans tous les sens, il trouva enfin le chemin des enfants. Les sept frères étaient tout près de chez leur père, quand ils aperçurent l'ogre qui sautait de montagne en montagne et traversait les fleuves aussi facilement que des ruisseaux.

– Cachons-nous sous ce rocher creux ! dit le Petit Poucet, et ils s'y fourrèrent tous les sept.

L'ogre, fatigué du long chemin qu'il venait de faire, voulut se reposer, et, par hasard, il s'allongea contre le rocher où les enfants étaient cachés. Il s'endormit aussitôt, et se mit à ronfler si fort, si fort, que les sept frères tremblaient de peur.

– Retournez voir nos parents, dit le Petit Poucet à ses frères. Ne vous inquiétez pas, je me tirerai d'affaire.

Et tandis qu'ils s'en allaient, le Petit Poucet s'approcha de l'ogre et doucement, tout doucement, il lui enleva ses bottes.

C'était des bottes immenses et très, très larges, mais elles étaient magiques, et avaient pour don de prendre la taille des pieds qui les chaussaient. C'est ce qui se passa, quand le Petit Poucet les mit : elles devinrent petites, aussi petites que ses petits pieds.

Et en quelques pas de bottes de sept lieues, le Petit Poucet se présenta devant le roi.

– Sire, lui dit-il, je peux, si vous le désirez, rapporter des nouvelles de votre armée qui se bat à la frontière.

Le roi accepta, et, avant le coucher du soleil, le Petit Poucet était de retour avec des nouvelles fraîches.

Le roi fut très content, il lui remit beaucoup d'argent, et l'engagea comme messager. Le Petit Poucet fit ce métier quelque temps, et, un jour, il se dit : « Je suis riche maintenant ! Il est temps que je retrouve ma famille ! » Son père, sa mère et ses six frères furent très heureux de le revoir, et grâce à lui, qui était si petit, ils purent vivre sans soucis tout le reste de leur vie.

LE BONHOMME
DE PAIN D'ÉPICE

Il était une fois une vieille femme en train de faire du pain d'épice. Comme il lui restait de la pâte, elle façonna un petit bonhomme pour son goûter. Avec des raisins secs, elle dessina des yeux, un nez, un grand sourire et les boutons de son habit. Puis elle le mit à cuire.

Au bout d'un moment, elle entendit tambouriner à la porte du four. Elle ouvrit, et, à sa grande surprise, le bonhomme de pain d'épice en sortit d'un bond.

– Reviens tout de suite ! Je t'ai fait pour mon goûter !

Elle voulut l'attraper, mais il lui échappa en criant :

Cours, cours, aussi vite que tu le peux !

Tu ne m'attraperas pas,

je suis le bonhomme de pain d'épice.

La femme le poursuivit dans le jardin où son mari travaillait. Il écarquilla les yeux en voyant passer le bonhomme de pain d'épice.

Il fut encore plus surpris de voir sa femme courir après en criant :

– Arrête le bonhomme de pain d'épice ! C'est pour mon goûter !

Il posa sa bêche et voulut aussi le saisir, mais le bonhomme de pain d'épice passa devant lui en criant :

Cours, cours, aussi vite que tu le peux !
Tu ne m'attraperas pas,
je suis le bonhomme de pain d'épice.

En arrivant sur la route, il rencontra une vache. La vache l'appela :

– Arrête-toi ! Tu as l'air bon à manger.

Mais le bonhomme de pain d'épice cria par-dessus son épaule :

J'ai échappé à une vieille femme.

J'ai échappé à un vieil homme.

Cours, cours, aussi vite que tu le peux !

Tu ne m'attraperas pas,

je suis le bonhomme de pain d'épice.

La vache se mit à le poursuivre, suivie du vieux et de la vieille.

Le bonhomme de pain d'épice rencontra un cheval.

– Arrête-toi, dit le cheval. Je voudrais te manger.

Mais le bonhomme de pain d'épice répondit :

J'ai échappé à une vieille femme.

J'ai échappé à un vieil homme.

J'ai échappé à une vache.

Cours, cours, aussi vite que tu le peux !

Tu ne m'attraperas pas,

je suis le bonhomme de pain d'épice.

Et il courait, avec à ses trousses la vieille femme, le vieil homme, la vache et le cheval.

Il rencontra des paysans qui rentraient le foin.

En sentant la bonne odeur de pain d'épice, ils crièrent :
– Arrête-toi, bonhomme de pain d'épice, nous aimerions bien te manger !
Mais le bonhomme de pain d'épice leur cria :

J'ai échappé à une vieille femme.

J'ai échappé à un vieil homme.

J'ai échappé à une vache.

J'ai échappé à un cheval.

Courez, courez, aussi vite que vous le pouvez !

Vous ne m'attraperez pas,

je suis le bonhomme de pain d'épice.

Les paysans rejoignirent en courant le cortège, derrière la vieille femme, le vieil homme, la vache et le cheval. Puis le bonhomme de pain d'épice rencontra un renard et lui dit :

Cours, cours, aussi vite que tu le peux !

Tu ne m'attraperas pas,

je suis le bonhomme de pain d'épice.

Le rusé renard répondit, tout en pensant « Mmm, ce bonhomme de pain d'épice doit être bon à manger ! » :
– Mais je n'ai pas envie de courir, et je ne veux pas t'attraper ! Je ne mange jamais de pain d'épice, c'est mauvais pour les dents.
Après avoir dépassé le renard, le bonhomme de pain

d'épice dut s'arrêter devant une rivière large et profonde. Le renard vit la vieille femme, le vieil homme, la vache, le cheval et les paysans qui poursuivaient le bonhomme de pain d'épice. Alors, il lui proposa :

– Monte sur mon dos, je te ferai traverser la rivière.

– Est-ce bien sûr que tu ne me mangeras pas ? demanda le bonhomme de pain d'épice.

– Si tu montes sur ma queue, je ne pourrai pas te manger, répondit le rusé renard.

Le bonhomme de pain d'épice monta sur la queue du renard, qui commença à nager. Bientôt la queue du renard fut toute mouillée. Alors le bonhomme de pain d'épice grimpa sur le dos du renard. Au milieu de la rivière, le renard ordonna :

– Monte sur ma tête, bonhomme de pain d'épice, tu y seras au sec.

Le bonhomme de pain d'épice se mit debout sur la tête du renard. Le courant devenait plus rapide et bientôt le bonhomme de pain d'épice n'eut plus que le nez qui dépassait de l'eau.

Le renard dit encore :

– Monte plutôt sur mon museau, bonhomme de pain d'épice, tu y seras au sec. Je pourrai mieux te porter. Je ne veux pas que tu te noies.

En passant tout près de sa sœur, sa main resta fixée au vêtement de celle-ci. Une demi-heure plus tard, la troisième des filles fit son apparition. À peine eut-elle frôlé la robe de la cadette qu'elle se trouva, elle aussi, prisonnière. Le Benêt s'éveilla à l'aube, prit l'oie sous son bras et quitta l'auberge, entraînant à sa suite les trois filles enchaînées. Ils traversaient un champ quand survint le curé qui s'arrêta stupéfait à la vue de cette singulière procession.

– N'avez-vous pas honte de courir ainsi après un garçon ? cria-t-il aux jeunes filles.

Il rejoignit la dernière de la file et l'attrapa par les cheveux. Mais, ne pouvant plus détacher ses doigts de la chevelure de sa victime, il fut bien forcé de lui emboîter le pas.

Un peu plus loin, le sacristain saisit son maître par un pan de sa soutane. Et, à son tour, il lui fut impossible de se libérer. À ce moment, le curé aperçut deux paysans, et il les ameuta à grands cris. Les paysans accoururent, sans prendre le temps de lâcher leurs outils. Ils empoignèrent le sacristain qui fermait la marche, et... se trouvèrent enchaînés à sa suite.

Au bout de longues heures de marche, l'étrange petit groupe pénétra dans une ville triste et presque déserte. Le Benêt demanda à une vieille la cause d'une telle disgrâce.

– Tu ne pouvais mieux choisir en t'adressant à moi, mon ami ! s'écria le Benêt. Suis-moi.

Il conduisit l'inconnu dans les caves du roi. L'homme empoigna les tonneaux l'un après l'autre, les vida tant et si bien qu'au coucher du soleil les caves royales ne recelaient plus une seule goutte de vin.

Mais le roi avait entre-temps imaginé une épreuve plus difficile encore :

– Je veux que tu me trouves un homme capable de manger une montagne de pain.

Le Benêt repartit en courant vers la forêt. À proximité de son arbre, il aperçut un personnage squelettique occupé à se serrer la taille à l'aide d'une grosse ceinture. Le Benêt s'approcha :

– Quelle peine te tourmente, mon ami ? Ne te sens-tu pas bien ?

– Et comment me sentirais-je bien, moi qui suis affligé d'une faim insatiable ?

– Viens avec moi, mon ami, je me fais fort de te rassasier une fois pour toutes, s'écria le Benêt.

Au palais, son étrange compagnon se jeta goulûment sur le pain qu'il se mit à dévorer avec frénésie jusqu'aux dernières miettes. Après quoi il s'éloigna… plus maigre que jamais.

Le roi imposa une dernière épreuve :

– Mon immense royaume est traversé par de

nombreux fleuves. Donc, il me faut un bateau qui aille sur terre comme sur l'eau. Dès que tu me l'auras apporté, tu seras autorisé à épouser la princesse.

Le Benêt quitta la salle du trône tête basse, le cœur vide d'espoir. Il retourna dans la forêt et, cette fois, il trouva le petit homme gris auprès de l'arbre abattu. Il lui raconta son malheur. Alors le vieillard construisit, en un éclair, l'embarcation du roi.

Le Benêt empoigna la corde et se mit à tirer le bateau. Au bout d'une heure, il arriva devant le palais. Le roi parut à sa fenêtre.

– Le navire est à la disposition de Votre Majesté, clama le Benêt. Il navigue sur l'eau et il roule sur terre.

Le roi comprit alors qu'il n'avait d'autre choix que de tenir parole. Les noces royales donnèrent lieu à d'extraordinaires festivités. Après quoi le jeune couple entreprit un long voyage sur le merveilleux navire.

À la mort du roi, le Benêt monta sur le trône et se fit aimer de ses sujets. Il vécut heureux en compagnie de son épouse.

CENDRILLON

Il était une fois un gentilhomme, qui, après avoir perdu sa première femme, se remaria avec une autre, très fière, très hautaine et très désagréable. Elle était mère de deux filles, qui lui ressemblaient en tout point et qui, surtout, avaient le même mauvais caractère qu'elle.

Le mari, lui, avait de son côté une fille d'une douceur et d'une bonté exceptionnelles.

À peine le mariage célébré, la belle-mère fit éclater sa mauvaise humeur et s'en prit à la fille de son mari. Elle ne pouvait supporter sa gentillesse qui faisait ressortir la méchanceté de ses deux filles.

Alors, pour se venger, elle lui fit faire tous les travaux de la maison.

– Lave la vaisselle, frotte les escaliers, nettoie les chambres ! lui disait-elle sans cesse.

Puis elle la fit coucher dans le grenier, sur une paillasse, alors que ses sœurs dormaient dans des chambres très confortables ! Quand elle avait fini son travail, la pauvre enfant s'asseyait dans un coin de la cheminée, parmi les cendres. C'est pourquoi ses sœurs, pour se moquer, l'appelaient Cendrillon. Mais elles pouvaient bien rire, car même mal vêtue, Cendrillon étaient cent fois plus belle qu'elles !

Un jour, le fils du roi donna un bal. Les deux sœurs étaient sur la liste des invités. Quelle agitation dans la maison ! On ne parlait que de ça ! Quels habits allaient-elles mettre ? Comment se coifferaient-elles ?

— Moi, disait l'aînée, je mettrai mon habit de velours rouge et mon col en dentelle.

— Moi, disait la cadette, je n'aurai que ma jupe ordinaire, mais en revanche, je mettrai mon manteau à fleurs d'or et ma barrette de diamants.

Cendrillon dut travailler, travailler... Encore plus que d'habitude ! Elle prépara les habits, nettoya, repassa.

Et puis, on l'appela ; on voulait connaître son avis, car elle avait bon goût. Elle le leur donna, et gentiment, leur proposa :

– Je peux vous coiffer, si vous le désirez.

Pendant qu'elle les coiffait, les deux sœurs se moquaient :

– Cendrillon, est-ce que tu aimerais aller au bal ?

– Oh ! mais je ne peux pas y aller !

– Tu as raison, on rirait bien, si on voyait une Cendrillon au bal !

Et en attendant, c'était elles, les deux méchantes, qui riaient.

Une autre que Cendrillon, en entendant cela, les aurait coiffées de travers, mais elle était si gentille qu'elle les coiffa parfaitement.

Enfin, le jour du bal arriva, et les deux sœurs s'en allèrent. Quand elle ne les vit plus, Cendrillon se mit à pleurer.

– Tu voudrais bien aller au bal, n'est-ce pas ? dit une voix.

Sa marraine, qui était fée, se tenait devant elle.

– Oh, oui ! soupira Cendrillon.

– Eh bien ! tu vas y aller, je te l'assure. Allez, cours dans le jardin et rapporte-moi une citrouille.

Cendrillon alla aussitôt cueillir la plus belle citrouille qu'elle put trouver. Sa marraine la creusa et la frappa de sa baguette : la citrouille fut immédiatement changée en un beau carrosse tout doré.

— Maintenant, Cendrillon, lève un peu la trappe de la souricière, demanda la marraine.

Cendrillon obéit, et chaque souris qui sortit fut changée, d'un coup de baguette, en un cheval gris pommelé. On fit un superbe attelage.

— Que vais-je transformer pour faire un cocher ? se demandait la marraine, quand Cendrillon lui dit :

— Je vais voir s'il n'y a pas un rat dans la ratière.

Il y en avait trois ! La marraine en choisit un, et d'un coup de baguette, elle le changea en un gros cocher aux superbes moustaches.

— Cendrillon, va dans le jardin, dit la marraine, tu y trouveras six lézards derrière l'arrosoir.

Cendrillon rapporta les lézards, et d'un coup de baguette, ils furent changés en laquais aux habits colorés. Ils montèrent derrière le carrosse, comme s'ils avaient fait cela toute leur vie !

— Eh bien ! Voilà de quoi aller au bal, Cendrillon ! Tu es contente ? lui demanda sa marraine.

— Heu, oui... Mais je ne peux pas y aller comme ça, avec mes vilains habits !

Dès qu'elle fut arrivée, elle alla trouver sa marraine.

– Je vous remercie, lui dit-elle, mais il faut que je vous demande, enfin... le fils du roi m'a demandé de revenir au bal demain...

Et comme elle lui racontait tout ce qui s'était passé, les deux sœurs frappèrent à la porte ; Cendrillon alla leur ouvrir.

– Que vous avez mis longtemps à revenir ! leur dit-elle en bâillant et en se frottant les yeux comme si elle se réveillait.

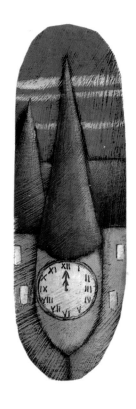

– Si tu étais allée au bal, tu ne t'y serais pas ennuyée. Il y est venue la plus belle princesse qu'on puisse voir, et elle a été très gentille avec nous !

– Comment s'appelle cette princesse ? demanda Cendrillon.

– Personne ne connaît son nom, mais le fils du roi donnerait tout au monde pour le savoir.

Le lendemain, les deux sœurs retournèrent au bal, et Cendrillon aussi : ses habits étaient encore plus merveilleux que la première fois. Le fils du roi ne la quitta pas un seul instant, et il n'arrêta pas de lui parler et de la complimenter. Cendrillon, charmée par ses paroles, oublia tout. Elle oublia même ce que sa marraine lui avait dit. Et quand le premier coup de minuit sonna, elle pensait encore qu'il n'était que onze heures : elle se leva d'un bond et s'enfuit aussitôt.

Cette fois, Cendrillon arriva chez elle tout essoufflée, sans carrosse, sans laquais et avec ses vilains habits.

Quand ses deux sœurs revinrent du bal, elle les interrogea :

– Vous êtes-vous bien amusées ? La belle princesse est-elle venue ?

– Oui, lui répondirent-elles. Mais à minuit, elle s'est enfuie si rapidement qu'elle a laissé tomber une de ses petites pantoufles de verre. Le fils du roi l'a ramassée et il n'a fait que la regarder pendant tout le reste du bal. C'est sûr : il est amoureux de cette princesse !

Elles disaient vrai, car quelques jours plus tard, le fils du roi fit annoncer qu'il épouserait celle dont le pied entrerait dans la pantoufle. On commença à l'essayer aux princesses, puis aux duchesses, et à toute la cour.

En vain ! On l'apporta enfin chez les deux sœurs, qui firent tout leur possible pour faire entrer leur pied dedans. Elles n'y réussirent pas.

– Voyons voir si elle me va ! dit soudain Cendrillon.

Ses sœurs se mirent à rire et à se moquer d'elle. Mais le gentilhomme qui faisait essayer la pantoufle trouva Cendrillon très belle.

– J'ai pour consigne de faire essayer la pantoufle à toutes les jeunes filles du pays. Alors, mademoiselle, dit-il à Cendrillon, asseyez-vous là et voyons si elle vous va !

Cendrillon s'assit, et, immédiatement, sans difficulté, elle entra son pied dans la pantoufle !

– Oh ! s'écrièrent les deux sœurs stupéfaites.

Son cousin le reçut très bien, et le mena d'abord dans le placard de la cuisine.

Là, sur la planche d'en bas, derrière des jarres en grès, il y avait un pain de sucre blanc. Le rat de ville fit un petit trou dans le papier avec ses dents, et tous deux se mirent à grignoter. Le petit rat des champs pensait qu'il n'avait jamais rien goûté d'aussi bon, quand tout à coup la porte du placard s'ouvrit brusquement : bang !

C'était la cuisinière qui venait chercher de la farine.

– Vite ! vite ! sauvons-nous ! chuchota le rat de ville et tous deux s'échappèrent par le petit trou qui les avait laissés entrer.

Le rat des champs était tout tremblant ; mais l'autre dit :

– Ce n'est rien ; elle va s'en aller, et nous reviendrons. Ils revinrent en effet, et, cette fois, ils grimpèrent tout en haut, sur la planche supérieure, où il y avait un bocal plein de pruneaux. Avec bien de la peine, ils tirèrent un pruneau qu'ils se mirent à ronger. C'était encore meilleur que le sucre ! Les dents du petit rat des champs ne pouvaient pas aller assez vite. Mais tout à coup, on entendit un grattement à la porte du placard, et un mi a o !...

– Qu'est-ce que c'est que ça ? demanda le rat des champs.

Le petit rat regarda la trappe ; puis le lard ; puis son cousin.

– Avec ta permission, dit-il, je pense que je m'en irai chez moi. J'aime mieux n'avoir à manger que du blé et des racines et être tranquille que d'avoir du sucre et du fromage et d'être effrayé tout le temps !

De sorte que le petit rat des champs retourna à la campagne, et y vécut heureux tout le restant de sa vie.

Son cousin le reçut très bien, et le mena d'abord dans le placard de la cuisine.

Là, sur la planche d'en bas, derrière des jarres en grès, il y avait un pain de sucre blanc. Le rat de ville fit un petit trou dans le papier avec ses dents, et tous deux se mirent à grignoter. Le petit rat des champs pensait qu'il n'avait jamais rien goûté d'aussi bon, quand tout à coup la porte du placard s'ouvrit brusquement : bang !

C'était la cuisinière qui venait chercher de la farine.

– Vite ! vite ! sauvons-nous ! chuchota le rat de ville et tous deux s'échappèrent par le petit trou qui les avait laissés entrer.

Le rat des champs était tout tremblant ; mais l'autre dit :

– Ce n'est rien ; elle va s'en aller, et nous reviendrons.

Ils revinrent en effet, et, cette fois, ils grimpèrent tout en haut, sur la planche supérieure, où il y avait un bocal plein de pruneaux. Avec bien de la peine, ils tirèrent un pruneau qu'ils se mirent à ronger. C'était encore meilleur que le sucre ! Les dents du petit rat des champs ne pouvaient pas aller assez vite. Mais tout à coup, on entendit un grattement à la porte du placard, et un mi a o !…

– Qu'est-ce que c'est que ça ? demanda le rat des champs.

– Chu… u… u… t ! dit son cousin, en courant à son trou, où le rat des champs le suivit aussi vite qu'il put. Et quand ils furent en sûreté :

– C'est Mistigri le gros chat de la maison, dit le gros rat, il n'a pas son pareil pour attraper les rats, et s'il nous avait vus !…

– C'est terrible ! dit le petit rat en frissonnant. Ne retournons pas au placard, veux-tu ?

– Non, dit le rat de ville, je vais te mener à la cave. Il y a quelque chose de délicieux là-bas.

Les deux amis descendirent à la cave, et ils virent dans une vieille armoire des pots de beurre et des rangées de fromages de Hollande. Il y avait aussi des chaînes de saucissons et des barils de pommes sèches, et bien d'autres choses encore ! Ce que cela sentait bon !

Le petit campagnard courait de tous côtés, grignotant un bout de fromage par-ci, un saucisson par-là, quand il vit un délicieux morceau de lard grillé dans une drôle de petite machine.

Il allait y porter la dent quand son cousin lui cria :

– Arrête ! arrête ! ne va pas là ! C'est une trappe.

– Qu'est-ce que c'est qu'une trappe ? demanda le petit rat en s'arrêtant.

– Ceci est une trappe, dit l'autre. Si tu avais touché le lard avec tes dents, quelque chose se serait décroché, et tu aurais été pris.

Le petit rat regarda la trappe ; puis le lard ; puis son cousin.

— Avec ta permission, dit-il, je pense que je m'en irai chez moi. J'aime mieux n'avoir à manger que du blé et des racines et être tranquille que d'avoir du sucre et du fromage et d'être effrayé tout le temps !

De sorte que le petit rat des champs retourna à la campagne, et y vécut heureux tout le restant de sa vie.

LE CHAT BOTTÉ

Il était une fois un vieux meunier qui avait trois garçons. Quand il mourut, il laissa un moulin, un âne et un chat. On donna le moulin au plus grand de ses fils, l'âne au second et le chat au dernier.

– Drôle de partage, gémit celui-ci. Mes frères feront de la farine et iront la vendre avec l'âne au marché. Moi, je peux manger mon chat, m'en faire un manchon pour l'hiver, mais après, je n'aurai plus rien !

Le chat, qui comprend tout, commence à s'inquiéter. Et comme il sait parler, il s'adresse à son maître :

– Ne pleure pas, mon maître. Tu me connais, je suis un malin. Si tu fais ce que je dis, tu t'en sortiras, parole de chat ! Donne-moi un sac et une paire de bottes pour aller dans les broussailles. Je ferai des merveilles !

Le jeune homme, tout étonné d'entendre son chat parler, décide de lui faire confiance et lui apporte tout ce qu'il a demandé. Le chat enfile ses bottes, met le sac sur son épaule et disparaît dans les fourrés.

Arrivé dans un bois, il ramasse du son et en remplit son sac. Puis il se couche et fait le mort.

Bientôt, un jeune lapin pas très malin entre dans le sac, croyant faire un festin. Tout à coup, tout à trac, le chat botté ferme le sac !

– Voilà un beau lapin, dit le chat, je m'en vais le donner au roi.

Parvenu au château, le chat botté demande à parler à Sa Majesté. Il fait sa plus belle révérence et dit au roi :

– Sire, je vous apporte ce lapin de garenne que le marquis de Carabas a chassé ce matin.

– Je ne connais pas ton marquis, lui dit le roi, mais cela me fait plaisir ! Tu le remercieras pour moi.

Mais le chat avait tout inventé ! Le marquis de Carabas, c'était le fils du meunier.

Le chat botté retourne chez son maître, mais ne raconte rien de ce qui s'est passé.

Un autre jour, il repart à la chasse. Dans un champ de blé mûr, le malin se cache et tient son sac ouvert. Deux perdrix viennent y picorer. Tout à coup, tout à trac, le chat ferme le sac !

– Voilà deux belles perdrix, dit le chat botté, je m'en vais les porter au roi.

Le roi, le voyant arriver, le remercie encore et cette fois l'invite à boire.

Ainsi, pendant des mois, le chat botté s'en va chasser pour nourrir son maître et faire plaisir au roi.

Un matin, il apprend que le roi doit aller se promener au bord de la rivière avec sa fille, la princesse.

– Maître, voici le moment de tenir ma promesse ; faites ce que je vous dis, sans poser de questions. Il fait beau aujourd'hui, vous irez vous baigner ! Je vous accompagne jusqu'à la rivière.

– Mon chat, je ne te comprends pas, mais je ferai ce que tu voudras, répond le jeune homme.

Pendant que le faux marquis se baigne, le roi et sa fille passent près de là.

– Au secours ! au secours ! crie le chat botté. Voilà Monsieur le marquis de Carabas qui se noie !

Le roi reconnaît le chat et le nom du marquis qui lui a fait tant de cadeaux. Aussitôt il ordonne à ses gardes de porter secours au malheureux.

– Sire, dit le chat, pendant qu'il se baignait, des brigands ont volé les habits de mon maître ! Il ne peut se montrer ainsi, sans habits !

Mais le chat avait tout inventé ! C'était lui qui les avait cachés.

– Qu'on donne un de mes habits au marquis, dit le roi.

Le joli meunier, en habit de roi, a fort belle allure. Sa Majesté l'invite à la promenade et la princesse le trouve si beau qu'elle tombe amoureuse aussitôt.

Le chat laisse loin derrière lui le carrosse, et dit aux paysans qui fauchent l'herbe dans les prés :

— Dites au roi que tout ce qu'il voit est au marquis de Carabas ; sinon, vous serez hachés menu et transformés en chair à pâté !

Quand le roi demande :

— À qui sont tous ces prés ?, les paysans en chœur répondent :

— À notre bien-aimé marquis de Carabas, Votre Majesté.

Le chat poursuit sa route et s'arrête dans les champs pour dire aux moissonneurs :

— Si le roi vous demande à qui est tout ce blé, dites qu'il appartient au marquis de Carabas ; sinon, vous serez hachés menu et transformés en chair à pâté !

Quand le roi demande :

– À qui sont tous ces champs ?, les paysans apeurés lui disent :

– Ce champ et toutes les terres alentour sont le bien de notre maître, le marquis de Carabas !

Le roi est très impressionné.

Mais le chat botté a tout inventé ! En vérité, toute cette campagne appartient à un ogre. Le chat court jusqu'à son château pour le rencontrer. Le saluant bien bas, il lui demande :

– Monseigneur, on m'a dit que vous vous transformiez en toutes sortes d'animaux. J'aimerais voir cela !

– Certainement, dit l'ogre, et il se change en lion.

Ah ! Le chat botté effrayé se sauve jusqu'sur le toit.

Mais le lion redevient ogre et le chat botté sourit :

– C'est une belle magie, mais on m'a dit aussi que vous vous transformiez en rat ou en souris.

– Certainement, dit l'ogre, et le voilà souris, trottant sur le plancher.

Tout à coup, tout à trac, le chat botté l'attrape et la croque ! Comme font tous les chats avec les souris !

Il court au-devant du carrosse et arrête les chevaux :

– Majesté ! Soyez le bienvenu au château de Monsieur le marquis de Carabas.

Le roi est ébloui par toutes ces richesses. La princesse, au bras du marquis, entre dans le château où le repas de l'ogre est déjà servi.

Ah mes amis, quel festin ! Et que l'histoire finit bien !

Le roi donne sa fille en mariage au marquis et le chat botté devient grand seigneur. Il ne court plus après les souris, sauf pour s'amuser bien sûr.

LA BELLE
AU BOIS DORMANT

Il était une fois un roi et une reine qui auraient pu vivre heureux, s'ils ne s'étaient dit chaque jour : « Ah ! comme nous aimerions avoir un enfant ! »

Hélas ! jamais leur vœu ne se réalisait, et ils étaient très tristes.

Un matin, alors qu'elle se baignait dans un étang voisin, la reine répéta à voix haute :

– Ah ! comme j'aimerais avoir un enfant !

Et à sa grande surprise, elle vit une grenouille sauter hors de l'eau et lui crier :

– Ne t'inquiète pas ! Avant qu'une année soit passée, tu mettras au monde une fille !

Ce que la grenouille avait prédit s'accomplit, et la reine eut une fille. Elle était si jolie que le roi, fou de joie, décida de faire une grande fête.

Il n'invita pas seulement ses parents et ses amis, mais il convia aussi les fées, pour qu'elles protègent son enfant.

Il y avait treize fées dans le pays, mais comme le roi n'avait que douze assiettes d'or, l'une d'elles ne fut pas invitée !

La fête fut somptueuse et très joyeuse, le repas, délicieux ! Lorsqu'elles eurent fini de manger, les fées se levèrent de table pour aller offrir à l'enfant leurs dons merveilleux : la première lui offrit la beauté, la deuxième, la richesse, la troisième, la gentillesse... Et c'est ainsi que la princesse était en train de recevoir toutes les qualités dont on peut rêver !

Onze dons venaient d'être offerts, quand soudain, sans qu'on puisse s'y attendre, la treizième fée, celle qui n'avait pas été invitée, fit irruption dans la salle. Elle était furieuse d'avoir été oubliée, et pour se venger, au lieu d'offrir un don, elle jeta un sort.

— Lorsqu'elle aura quinze ans, s'écria-t-elle d'une voix mauvaise, la princesse se piquera le doigt avec un fuseau et tombera morte !

Tous les invités étaient effrayés. On se mit à pleurer...

Mais la douzième fée, qui avait encore un don à faire, s'approcha et dit :

— Je n'ai pas le pouvoir de défaire le mauvais sort, mais je peux l'adoucir : quand la princesse se piquera, ce n'est pas dans la mort qu'elle sombrera, mais dans un profond sommeil qui durera cent ans !

Le roi qui voulait protéger sa fille de ce terrible malheur fit aussitôt publier l'ordre de brûler tous les fuseaux du royaume.

Les années passèrent, la princesse grandit, et grâce aux dons des fées, elle était si belle, si douce, si intelligente... que tous ceux qui la voyaient l'aimaient aussitôt.

Le jour de ses quinze ans arriva, et ce jour-là, le roi et la reine durent sortir. La princesse, restée seule, en profita pour se promener de salle en salle, de chambre en chambre, et visiter tous les recoins du château.

Elle arriva devant un vieux donjon, grimpa l'étroit escalier en colimaçon et se trouva devant une petite porte couverte de poussière. Dans la serrure, elle vit une clé rouillée, elle la tourna ; la porte s'ouvrit...

La fille du roi découvrit une petite pièce sombre où il y avait une vieille femme qui filait. La jeune fille s'approcha.

– Bonjour, dit-elle. Que faites-vous là ?

– Je file, ma belle enfant, je file, dit la vieille en hochant la tête.

– Qu'est-ce donc que cette chose qui sautille si joyeusement ?

La princesse saisit le fuseau et elle se piqua immédiatement. Comme il était prédit, elle tomba endormie. Aussitôt son sommeil se propagea à tout le château. Le roi et la reine, qui revenaient justement, s'endormirent en entrant dans la grande salle, et toute leur suite avec eux.

Alors les chevaux s'endormirent dans les écuries, les chiens dans la cour, les pigeons sur les toits, les mouches contre les murs. Le feu qui flambait dans la cheminée s'éteignit, le rôti cessa de rissoler et le cuisinier, qui allait tirer les oreilles du marmiton à cause d'une bêtise, s'arrêta, pris par le sommeil. Le vent cessa de souffler ; sur les arbres devant le château, plus une seule feuille ne bougeait.

Tout dormait !

Bientôt une petite haie d'épines se mit à pousser tout autour du château. D'année en année, elle devint plus épaisse, plus touffue, et rapidement, elle fut plus haute que le château, dont on ne vit plus rien, pas même la girouette sur le toit.

Cependant, l'histoire de la Belle au bois dormant, car c'est ainsi qu'on appelait la princesse endormie, se répandit dans tout le pays.

De temps en temps, des fils de roi tentaient de traverser la haie d'épines pour entrer dans le château... Aucun n'y parvint !

Au bout de longues, longues années, un fils de roi passa par là ; il rencontra un vieil homme qui lui raconta l'histoire de la Belle au bois dormant.

– Je n'ai pas peur ! dit le jeune homme. Je veux traverser la haie d'épines et voir la princesse endormie.

Or, les cent ans s'étaient justement écoulés... Le jour était venu où la Belle devait se réveiller.

Quand le prince s'approcha de la haie d'épines, il ne vit que de magnifiques fleurs qui s'ouvraient devant lui pour lui faire un passage, puis se refermaient aussitôt derrière lui pour refaire une haie.

Il arriva dans la cour et vit les chiens endormis. Dans le château, il remarqua le cuisinier avec sa main levée, la servante prête à plumer une poule rousse...

Le jeune homme pénétra dans la grande salle : le roi et la reine étaient allongés près de leur trône, dans leurs habits de cour.

Le prince continua sa visite. Ses pas résonnaient dans le silence du château assoupi. Enfin il arriva devant le donjon, monta l'étroit escalier, poussa la porte et découvrit la princesse endormie.

Comme elle était jolie ! Il resta longtemps à l'admirer, puis il se pencha et lui donna un baiser.

À peine l'avait-il embrassée qu'elle s'éveilla et le regarda en souriant.

– Est-ce vous mon prince ? dit-elle. Vous vous êtes bien fait attendre !

Puis, elle se leva, et ils allèrent ensemble dans la grande salle. Le roi s'éveillait, ainsi que la reine et toute la cour. Tout le monde se regardait avec de grands yeux étonnés.

Cela continua ainsi pendant plusieurs semaines. Le soir, le cordonnier taillait le cuir ; le lendemain, les chaussures étaient prêtes. Toutes sortes de chaussures, et toujours d'une qualité exceptionnelle : des chaussures pour hommes, femmes et enfants ; des souliers plats ou à talons hauts ; à bride ou à lacets ; des bottes de marche, des escarpins pour le bal ou des chaussures de ville... Tout ! Le mystérieux cordonnier savait tout faire !

Quant à notre homme, les clients affluaient dans sa boutique et la misère disparut de sa vie.

Cependant, il avait tellement envie de connaître son mystérieux bienfaiteur qu'un soir, après avoir laissé les morceaux de cuir bien taillés sur la table, il se cacha derrière un rideau avec sa femme...

Juste comme minuit sonnait, il y eut du remue-ménage près de la fenêtre : c'était... deux petits lutins qui se glissaient par une fente du volet. Ils entrèrent dans la boutique et s'approchèrent de la table de travail en dansant. Là, ils se mirent à assembler les morceaux de cuir. Par l'ouverture du rideau, le cordonnier et sa femme les observaient. Les lutins étaient tout nus, et si drôles avec leurs petits ciseaux, leurs petits marteaux et leur fil !

Tap ! tap ! faisaient les marteaux ; zz... zz... faisait le fil ; et en un rien de temps, les souliers furent finis.

Puis les petits lutins se prirent la main et dansèrent gaiement autour de la table... Quand ils eurent fait toutes les chaussures, ils disparurent comme ils étaient venus.

Alors le cordonnier et sa femme, à peine remis de leur surprise, se regardèrent.

— Comment faire pour remercier ces petits lutins ? demanda le mari.

— Ils sont tout nus et doivent avoir froid. Je leur ferai des habits, dit la femme.

— Si tu fais les habits, je ferai les souliers !

Le jour même, ils se mirent au travail.

La femme cousit deux toutes petites vestes de drap vert, deux tout petits gilets de drap jaune, deux toutes petites culottes de drap blanc, deux petits bonnets de

drap rouge avec une aigrette en plume de coq, et son mari fit deux paires de beaux petits souliers rouges à bout pointu. Il y mit des boutons brillants et la veille de Noël, tout était prêt.

Le soir, le cordonnier nettoya sa table, et, à la place des pièces de cuir, il mit les jolis habits. Puis de nouveau, il se cacha derrière le rideau avec sa femme.

Au premier coup de minuit, les lutins arrivèrent. Dansant et tourbillonnant, ils s'approchaient de la table, quand, ô surprise ! ils s'arrêtèrent net. Ils avaient vu les jolis habits, ils se précipitèrent et les essayèrent.

– Tes cris nous transpercent jusqu'à la moelle, dit l'âne. Qu'est-ce que tu annonces donc ?

– Pour aujourd'hui j'annonce le beau temps, dit le coq. Mais parce que demain dimanche il y aura des invités, la maîtresse du logis, femme sans pitié, a dit à la cuisinière qu'elle voulait me manger au potage. C'est pourquoi je crie à tue-tête et je le ferai aussi longtemps que je le pourrai.

– Allons donc, tête rousse, dit l'âne, tu ferais mieux de partir avec nous, nous allons à Brême, ce sera toujours mieux que de finir à la casserole. Tu as une belle voix, et quand nous ferons tous ensemble de la musique, ça sera très joli.

Le coq accepta la proposition et ils s'en allèrent tous les quatre. Le soir, ils arrivèrent dans une forêt où ils décidèrent de passer la nuit. L'âne et le chien se couchèrent sous un gros arbre, le chat et le coq s'installèrent dans les branches, mais le coq préféra se percher au sommet pour plus de sécurité.

Avant de s'endormir, le coq regarda une fois encore aux quatre coins cardinaux, quand soudain il aperçut une lueur dans le lointain. L'âne dit :

– Nous ferions mieux de nous lever et de poursuivre notre route. Ici l'auberge ne vaut rien.

Le chien déclara que deux ou trois os avec un peu de viande autour lui feraient du bien.

Alors ils marchèrent en direction de la lumière, ils la virent briller et grandir de plus en plus et ils arrivèrent enfin à un repaire de voleurs tout illuminé. L'âne, étant le plus grand, s'approcha de la fenêtre et jeta un coup d'œil à l'intérieur.

– Que vois-tu, tête grise ? demanda le coq.

– Ce que je vois ? répondit l'âne, je vois une table couverte de mets succulents, des voleurs sont assis autour et se donnent du bon temps.

– Oh ! si seulement il y en avait un peu pour nous ! dit le coq.

– Oh oui ! si seulement nous y étions ! dit l'âne.

Alors les animaux tinrent conseil pour savoir comment chasser les voleurs. Enfin, ils trouvèrent un moyen. L'âne devrait poser les pieds de devant sur le rebord de la fenêtre, le chien sauterait sur son dos, le chat grimperait sur le chien et, pour finir, le coq s'envolerait au sommet et se poserait sur la tête du chat. Quand ce fut terminé, ils commencèrent à faire leur musique. L'âne se mit à braire, le chien aboya, le chat miaula, le coq chanta. Puis ils se précipitèrent dans la pièce à travers la fenêtre, si vivement que les vitres en tremblèrent.

À ce vacarme, les voleurs se levèrent d'un bond, crurent qu'un monstre venait d'entrer et s'enfuirent tout épouvantés.

Alors les quatre compagnons se mirent à table, et dévorèrent comme s'ils devaient jeûner pendant des semaines.

Quand les quatre musiciens eurent fini, ils se cherchèrent une place pour dormir, chacun selon sa convenance, et ils éteignirent la lumière. L'âne se coucha sur le fumier, le chien, devant la porte, le chat se mit au coin du feu sur la cendre chaude, et le coq se percha sur la poutre ; ils s'endormirent sans tarder.

À minuit passé, les voleurs virent de loin qu'il n'y avait plus de lumière dans la maison. Alors le capitaine ordonna à l'un d'entre eux d'aller explorer la maison.

L'émissaire trouva tout silencieux, il alla dans la cuisine pour faire de la lumière. Mais il prit les yeux phosphorescents et étincelants du chat pour des charbons ardents et enfonça une allumette afin de rallumer le feu. Le chat n'apprécia pas la plaisanterie, il lui sauta au visage, cracha et le griffa.

Le voleur voulut s'enfuir par la porte de derrière. Mais le chien, qui était couché là, bondit et lui mordit la jambe. Tandis qu'il se ruait à travers la cour et passait devant le fumier, l'âne lui décocha encore un bon coup avec sa patte arrière.

La paysanne, qui avait espéré faire une meilleure affaire, lui donna ce qu'il voulait et s'en alla en bougonnant.

– Cette confiture devrait me rendre force et vigueur ! s'écria le petit tailleur, et il prit le pain dans son buffet, se coupa une bonne tartine et étala dessus sa confiture.

« Hum ! Ça va être bon, pensa-t-il. Mais avant d'y goûter, je dois finir cette veste. Allons, au travail ! »

Il posa donc sa tartine à côté de lui et se remit à coudre, et dans sa joie, il faisait des points de plus en plus grands.

Cependant l'odeur de la confiture attirait les mouches qui couvraient le mur, et elles vinrent en foule se poser sur la tartine.

– Eh là ! Je ne vous ai pas invitées ! dit le tailleur en les chassant.

Mais les mouches, qui ne comprenaient pas le français, revinrent encore plus nombreuses qu'auparavant.

Cette fois, le tailleur s'énerva pour de bon, il attrapa un chiffon et en porta un grand coup dessus. Il compta les morts : il y en avait sept étendus les pattes en l'air.

« Peste ! se dit-il. Il n'y a pas à dire, je suis un vrai gaillard ! Il faut que toute la ville soit au courant. »

Et aussitôt il se fit une ceinture et broda dessus en grosses lettres : « Sept d'un coup ! ».

– Mais la ville, ce n'est pas suffisant, ajouta-t-il. C'est le monde tout entier qui doit être informé !

Le cœur battant, il mit donc sa ceinture, ferma sa boutique, bien décidé à aller courir le monde et l'aventure. Avant de sortir, il chercha quelque chose à emporter, il ne trouva qu'un vieux fromage, qu'il fourra dans sa poche. En ouvrant la porte de sa maison, il vit un oiseau qui s'était pris dans les buisssons. L'oiseau suivit le même chemin que le fromage et se retrouva dans la poche du petit tailleur.

Puis tout joyeux, notre homme se mit en route, et comme il était alerte et vif, il marcha d'un bon pas, sans sentir la fatigue. Il arriva sur une montagne au sommet de laquelle était assis un géant, qui regardait tranquillement passer les gens.

– Salut, l'ami ! Tu regardes le monde à tes pieds, moi, je vais à sa rencontre. Veux-tu m'accompagner ?

Le géant le lorgna avec mépris, et lui dit :

– Pauvre nain, minable riquiqui !

– Tu ne sais pas qui je suis ! s'écria le tailleur, en lui montrant sa ceinture. Lis donc ça !

Le géant, qui lut : « Sept d'un coup ! », s'imagina que c'était des hommes que le tailleur avait tués et il le regarda avec un peu plus de respect. Cependant, pour le mettre à l'épreuve, il prit un caillou dans sa main et le serra si fort qu'il en sortit de l'eau.

– Maintenant, fais comme moi, si tu le peux, lui dit-il.

– Bah ! c'est un jeu d'enfant ! répondit le tailleur, et il prit dans sa poche le fromage mou qu'il pressa dans sa main jusqu'à ce que le lait en sorte.

Le géant en resta bouche bée. Puis il prit un autre caillou et le lança si haut qu'on ne le vit plus dans le ciel.

— Bien lancé ! dit le tailleur. Mais le caillou est retombé, moi, je vais en lancer un qui ne retombera pas ! et il prit l'oiseau qui était dans sa poche et le jeta en l'air.

L'oiseau, heureux de retrouver sa liberté, s'envola à tire-d'aile sans revenir.

— Alors, qu'en dis-tu, l'ami ? demanda le tailleur.

— C'est bien fait ! répondit le géant. Mais voyons voir si tu portes aussi lourd que tu lances loin.

Et il conduisit le petit tailleur devant un énorme chêne abattu.

– Aide-moi donc à le porter ! dit le géant.

– Volontiers, répondit le petit homme, prends le tronc sur ton épaule, je me chargerai des branches, c'est le plus lourd.

Le géant prit le tronc sur son épaule et le petit tailleur s'assit tranquillement sur une branche derrière lui. Le géant, qui ne se rendait compte de rien, puisqu'il ne pouvait pas se retourner, portait l'arbre tout entier et le tailleur par-dessus le marché.

Soudain, le géant, épuisé par le fardeau, s'écria :

– Attention ! Je pose !

Vite ! le petit homme sauta en bas de l'arbre, qu'il fit semblant de porter entre ses bras.

– Eh, dis donc, pour un grand gaillard, tu n'es pas très costaud ! dit-il alors.

Puis ils se remirent en route. Soudain, le géant lui cria :
– Puisque tu es un si brave garçon, tu ne voudrais pas passer la nuit avec nous dans notre caverne ?

Le tailleur accepta et quand ils furent arrivés, ils trouvèrent là d'autres géants assis près du feu et chacun d'eux tenait à la main un mouton rôti. Le petit homme se coucha dans un lit qu'on lui avait montré, et comme ce lit était trop grand pour lui, il alla se blottir dans un coin.

À minuit, le géant, croyant le tailleur endormi, saisit une grosse barre de fer et en donna un grand coup au beau milieu du lit. Il était sûr d'avoir tué le petit homme.

Au petit jour, les géants partirent dans les bois. Quand, devant eux, ils virent le tailleur, qu'ils avaient oublié, plus joyeux et plus hardi que jamais, ils furent épouvantés. Persuadés qu'il allait les tuer, ils s'enfuirent à toutes jambes.

Le petit tailleur continua son voyage, toujours le nez au vent, selon son gré. Après avoir longtemps marché, il arriva dans le jardin d'un palais, et, comme il se sentait un peu fatigué, il se coucha sur le gazon et s'endormit. Les gens qui passaient par là se mirent à l'observer et lurent sur sa ceinture : « Sept d'un coup ! ».

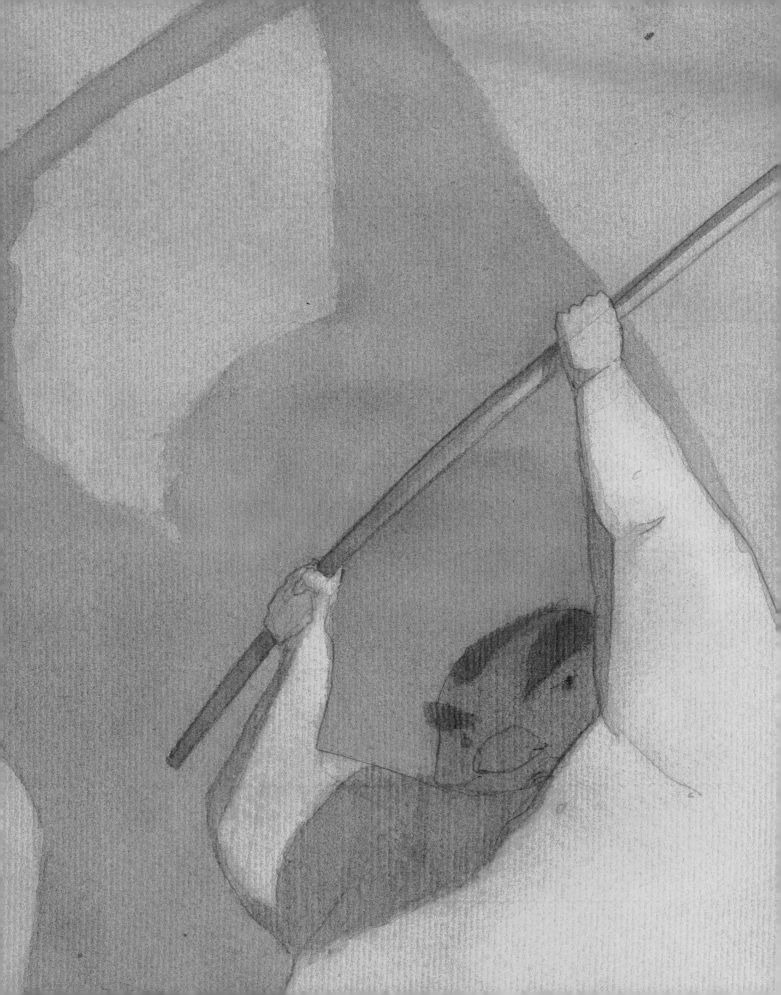

Ils allèrent dire au roi qu'un héros, un noble guerrier, dormait au pied de son palais, et qu'il serait bon, en cas de guerre, de l'avoir dans l'armée.

Le roi suivit le conseil : il envoya auprès du dormeur un courtisan qui attendit son réveil pour lui transmettre l'offre du roi.

– Voilà qui est parfait ! répondit le petit homme. J'étais venu exprès pour cela ! Je suis prêt à entrer au service du roi.

Et à la cour, il fut reçu avec toutes sortes d'honneurs, et on lui donna un grand logement.

Les militaires étaient jaloux, et puis ils s'inquiétaient :
– Si nous nous disputons avec lui, il se jettera sur nous et en abattra sept d'un coup. Pas un de nous ne survivra !

Finalement, ils allèrent trouver le roi pour lui demander congé. Le roi était bien ennuyé de voir ainsi ses serviteurs l'abandonner. Mais il n'osait pas renvoyer le petit tailleur ! Pensez donc ! Un homme aussi terrible pouvait bien le tuer lui, ainsi que ses sujets, pour s'emparer du trône !

Le roi réfléchit longtemps, longtemps, puis il finit par avoir une idée et il fit au petit tailleur une offre qu'il ne pouvait refuser.

Il prit une corde et une hache et retourna dans le bois. Il n'eut pas à chercher longtemps : la licorne apparut bientôt, et elle s'élança sur lui, prête à le transpercer de sa corne.

Le tailleur attendit immobile jusqu'à ce qu'elle soit tout près de lui, et alors, il se cacha rapidement derrière un arbre. La licorne lancée de toutes ses forces enfonça sa corne si profondément dans le tronc qu'il lui fut impossible de la retirer.

« Je te tiens, ma jolie ! » se dit le petit tailleur, puis il attacha la licorne avec la corde, il dégagea sa corne à coups de hache et l'emmena devant le roi.

Mais cette fois encore, le roi eut du mal à tenir sa promesse, et il imposa au petit tailleur une troisième épreuve : s'emparer d'un sanglier qui faisait de grands ravages dans le bois.

– Ce sera un jeu d'enfant ! dit le petit homme, et il alla dans la forêt.

Dès que le sanglier aperçut le tailleur, il se précipita sur lui en écumant et en montrant ses défenses pointues, pour le transpercer. Mais le petit homme se réfugia dans une chapelle, qui était là, tout près, et en ressortit aussitôt en sautant par la fenêtre. Le sanglier y était entré à sa suite, mais en deux bonds, le tailleur revint à la porte et la ferma : le sanglier était pris.

Son exploit accompli, le petit tailleur se présenta au roi qui fut cette fois obligé de tenir sa promesse. Il lui donna sa fille et la moitié de son royaume. Le mariage fut somptueux, mais peu joyeux, et d'un tailleur, on fit un roi.

Quelque temps après, la jeune reine entendit la nuit son mari qui disait en rêvant :

– Allons, garçon, termine cette veste et raccommode cette culotte, ou sinon je te chauffe les oreilles !

Elle comprit qui elle avait épousé, et dès le lendemain, elle alla supplier son père de la délivrer d'un mari qui n'était qu'un pauvre tailleur.

– La nuit prochaine, lui dit le roi, son père, laisse la porte de ta chambre ouverte, mes serviteurs se tiendront là derrière, et, quand ton mari sera endormi, ils entreront et l'emporteront ligoté, sur un navire qui le conduira bien loin d'ici.

La jeune femme était enchantée ; mais l'écuyer du roi, qui avait tout entendu et qui aimait bien le nouveau prince, alla l'informer du complot.

– J'y mettrai bon ordre, lui dit le tailleur.

Le soir, il se coucha comme d'habitude, et, quand sa femme le crut bien endormi, elle alla ouvrir la porte et se recoucha à ses côtés. Mais le petit homme, qui faisait semblant de dormir, se mit à crier à haute voix :

– Allons, garçon, termine cette veste et raccommode cette culotte, ou sinon je te chauffe les oreilles. J'en ai abattu sept d'un coup, j'ai tué deux géants, chassé une licorne, pris un sanglier ; et ce ne sont pas les gens cachés derrière ma porte qui me feront peur !

À ces mots, les serviteurs épouvantés s'enfuirent comme s'ils avaient eu le diable à leurs trousses.

Dès lors, plus personne n'osa jamais s'attaquer à lui, et le petit tailleur devenu roi le resta toute sa vie.